《期權 Long & Short》
之進階篇

指數期權

期權 Long & Short 之進階篇　指數期權

作　者：杜嘯鴻

出版人：杜嘯鴻

出 版 社：　**香港期權教室 / HK Option Class**
地址：香港九龍灣展貿徑1號國際展貿中心10樓1026A室
電話：(852) 2735 8165　　　傳真：(852) 3404 5505
網址：www.hkoptionclass.com.hk　電郵：cs@hkoptionclass.com.hk

印　　刷：美雅印刷製本有限公司
發　　行：春華發行代理有限公司

初　　版：二〇一五年七月
二　　版：二〇一八年七月

免責聲明

本書作者已經盡力令書中內容詳盡及準確，但是不能保證內容的完整性及準確性。作者沒有資格亦沒有意圖向公眾提供投資建議。任何投資都有風險，如有任何疑問或者懷疑，投資之前應該請教專業人士的意見，或者向有關政府部門查詢，敬請讀者注意。

代理經銷：白象文化事業有限公司
地址：401 台中市東區和平街 228 巷 44 號
電話：(04) 2220-8589　**傳真：**(04) 2220-8505

第二版序

《指數期權》、《股票期權》及《期權心理》，這三本書的第一版已售罄。從市場銷售看，《指數》最快賣完，《股票》次之，《心理》最慢。但筆者從寫作的角度看，《心理》最費氣力，《股票》次之，《指數》則最簡單。由此可見，努力與成果經常不成正比。

其實，期權書不可能是大眾讀物，這三本書的銷售與市場上參與期權操作的人群有關。剛剛參與期權操作的，大多數喜歡看《指數》，因為較為簡單，快上快落，十分痛快。但略有期權操作經歷後就會喜歡看《股票》，因為這是累積被動收入（Passive Income）的好方法。操作了一段時間後，經歷了賺錢的快樂和輸錢的痛苦，這些人就會懂得如何看《心理》，從中領略操作的心態，是另一個層次的提升。這三本書的第一版售罄後，筆者得到的反饋就是如此。

藉此，筆者請閣下看完這套書後，自我檢查自己目前是那種人，還可以做個測試，借這三本給朋友看，看朋友對這套書的態度是否是筆者提及的那三種。益己益人，何樂而不為。

這次發行第二版，第一版中的筆誤和排版問題已得到修正，在此特別多謝助理陳俊謙/Frandix Chan 及學員小周的細心工作，也要多謝深圳王岩小姐/Lilian Wong（《期權 Long & Short》〈中國篇〉的作者之一）在最後階段的認真校對。文字創作是靠個人的力量，但文字出版工作的確是需要集體的力量。

筆者藉此機會也返看這三本書，覺得寫作方面還是有頗大的改善空間，今後要不斷努力。筆者返看後覺得汗顏之處是導讀文，因為導讀文是這三本書的特點，應該寫的更有啟發性，更有趣，這樣才能增強這三本書的可讀性，令正在操作期權的讀者受益。因此，筆者有計劃要覓時重新整理導讀文。

與這三本書套裝書配對的，是《期權 Long & Short》（第七版）與《期權十年》（全新書），這兩本是寫給未決定是否參與操作的人士，作為了解期權，增進金融知識閱讀的。若讀完《期權 Long & Short》與《期權十年》後，決定參與操作期權，就應該看這三本套裝書，而且三本都必須看完，因為這是閣下必定要經歷的過程，對閣下一定有益，看完後才做決定是從指數開始還是從股票著手，還是雙管齊下。當然，筆者是建議先擇其一，累積了經驗後再涉及兩者。

最後，筆者在此的建議是：當閣下確定參與指數期權或股票期權時，這三本書當然要看一次，待閣下操作了一段時間後，不要忘記再返讀一次，你會發覺自己的不足之處，但同時又會充滿自信心。

杜嘯鴻
2018 仲夏

序

如筆者在指數堂上所講，做指數期權是：賺錢快！

何為快，筆者對這種快的定義是：用小錢在較短的時間內賺到大錢。

所以做指數期權的確可以令人著迷，因為獲利可以相當「快」（輸錢亦然）。

若閣下持有筆者《期權 Long & Short》第五版，看過序，您會發現這樣的字句：指數期權的書名可能是《指數期權—— 10-100/n》。在此，可能要解釋何為 10-100/n。

筆者 2012 年 9 月從工銀國際轉投交銀國際時，刻意用 10 萬元開指數期權賬戶，目的就是想要看看需要多長時間可以做到 100 萬。當 2014 年 7-8 月期間，這個目標已不遙遠，進入唾手可得的距離，導致自己策劃要在兩年（24 個月）內完成目標。10-100/n，n 就是時間數字。

2014 年 9 月，香港的政壇雖然風風雨雨，但股市並沒有明顯的下滑，筆者認為香港人大多都是政治冷感，政治對股市不會有太大影響（如台灣），當時的佔中人士也事前講明，若發生佔中也將會是十月份的事。加上十月一日是大日子，各路人馬無論如何也會力撐，守住 24000-23800 點。所以 9 月份大開好倉，對下行風險只是做了跨價對沖，甚至沒有做足 100%，目的是為了省保護費（因為張數多），希望能在 9 月達標，n = 25 Months。預料不到的結果是佔中突然提前在 9 月底開始（週六宣布週一開始），一開就是結算日，港股一跌不可收拾，根本無法平倉，整體利潤報銷一大半。若是股票接貨，如今利潤滿倉，但指數則是立即現金虧損。

這種以時間為目標去追求利潤的思維方法其實非常不健康，一定會令自我控制失當，絕對不值得各位模仿。由於這是一種要博的心態，其代價基本上是輸，筆者過往已有這種輸錢的經歷，用匯豐前主席的一句英文表達可能更貼切：This is not the first and not the last. 不過，能自我安慰的是：佔中乃是香港回歸以來最大型的社會運動，必定會錄入史冊，在這種波瀾壯闊的歷史事件中輸錢，作為記憶，值得！

所以，按自己感覺舒服的節奏向前走，或者是已經適應的節奏，那就是最好的節奏，絕對不能強行追求。本人若能按原本的節奏，大半年後的今天一定早已達標（n = 30 Months），幸好未犯本，還可以繼續努力。筆者在此以序自揭傷疤，既是忠告各位，也是警告自己。

筆者認為期權的核心就是對沖，對指數期權的對沖描述是：Long & Short + Futures，要做到這樣的結構，指數期權才能發揮最高效益，但所花費的時間不菲。因此，不是十分建議在職人士做指數期權。

杜嘯鴻

2015 年 6 月

此書的期權主題已明確，目錄則是以時間編排，目的是方便讀者閱讀時按時間順序翻查歷史數據，可以較深刻地理解指數期權操作的具體細節。

序 i

2011

2012

2013

2014

後記

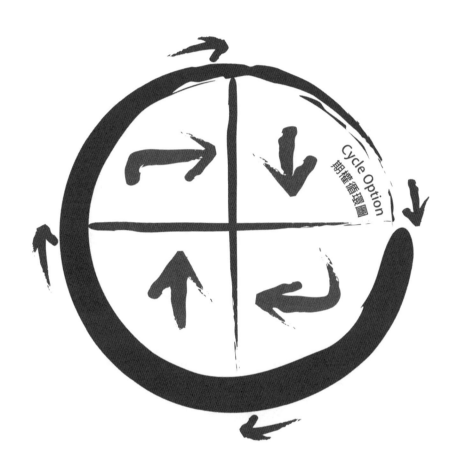

Cycle Option
期權循環圖

指數期權
2009

《期權 Long & Short》之進階篇

2009/01/17

　　用『半熟牛扒』作為本書開頭頗有意義，因為這是《期權 Long & Short》書中的一篇文章，操作期權，筆者建議要經常吃『半熟牛扒』。以下這篇文章可以看成是吃『半熟牛扒』的時機，因為當引伸波幅急速收縮，Call 和 Put 的期權金都縮。若閣下的 Short 倉已有滿意的利潤，應該吃，也就是平倉，等待下次波幅拉開的時候再開倉，特別是在開倉後三兩天就有如此利潤，一定「吃為先」！

　　事過境遷，2009 年筆者服務於大福證券，同年大福被海通收購。當年在《信報》以大福證券網上服務投資顧問發表的文章放於本文文末作為紀念。

學期權要留意時間值和引伸波幅對期權金的影響

　　我們不得不認同，期權操作不能像買賣股票般直截了當，必須花時間耐心地搞清楚整個遊戲規則，特別是「時間值」和「引伸波幅」的運用。「時間值」和「引伸波幅」是操作期權的關鍵，聽起來容易，學也不難，但與大市配合運用，在實際操作中並非想象中簡單。若想成為期權市場長期的獲利者，是需要一段時間磨練。見部分期權教室的學員操作一段時間仍未賺錢，細看原因，大多是賭性太強，理性不夠。任何投機行為都會有賭的成分，但運用在期權，應該用較低的賭性去操作，理性的智慧反而更顯光彩。

　　今天我們講引伸波幅的影響有多大。在一般市況下，若市升，即使只升少許，等價期權的 Call 應該升，Put 應該跌。如本週五（1 月 16 日），大市收 13255，微升 12 點，等價期權 13200 Call 升，13200 Put 跌。但我們從附圖可見，上週五（1 月 9 日）收市後的恒生指數期權變動情況，當天大市收 14377，微跌 38 點，等價期權是 14400，理應

Call 跌，Put 升。但由於引伸波幅從 1 月 8 日的 56-57 收縮至 1 月 9 日的 49-50，所以 Put 也錄得跌幅，可見引伸波幅對期權金的影響。這種現象較為少見，但值得大家留意。作為教學用，有明顯的參考價值。

最後更新：09/01/2009 17:15						恆指：14377 -38						最高/最低：14673/14297		
16009	15643	Jan-09 認購期權 CALL						Jan-09 認沽期權 PUT					13309	13107
上日未平倉	成交量	變動	上日價	最低	最高	成交價	行使價	成交價	最高	最低	上日價	變動	成交量	上日未平倉
97	9	-110	1162	1052	1073	1052	13800	500	508	352	526	-26	279	782
530	36	-145	1025	880	1090	880	14000	575	590	411	591	-16	406	2908
231	33	-170	910	740	825	740	14200	631	655	487	695	-64	262	821
1384	391	-152	788	636	825	636	14400	728	754	541	760	-32	426	1420
982	259	-139	680	530	737	541	14600	822	832	642	863	-41	591	1193

（圖：即月恒生指數期權交易情況－ 2009/01/09）

上兩週也提及要多看貨幣行情，比看目前的基本因素重要，原因是若你的進場心態是跟著近期的基本因素跑，你會嚇出心臟病。但從貨幣行情看，目前的資金極為充裕，只是投資心態還未走向正面。這與德國股神科斯托蘭尼所講：「若貨幣行情是正面，投資心態也會很快走向正面」。

下週的焦點是奧巴馬上任，筆者早前有文章提及這是一位沒有包袱的政治領袖（黑馬克思），一定會博到盡！見其班底，人強馬壯，本週先取 3500 億，時機恰好，下週可以行使，下月中的 8500 億也會是囊中物。有人才再加有錢財，國內國外的一系列新政和具體方案將會迅速推出，不可能等到失業率再創高位，中東局勢繼續惡化。筆者認為目前是壞消息進貨的機會，加上週五恒指等價期權的引伸波幅已在 50 以下，所以不理會損失週六日的期權金，建議用部分利潤 Long Call：Long for Change, Long for Obama！

杜嘯鴻

引伸波幅影響期權金

本欄早前提及不斷膨脹的解釋及翻譯有英文翻譯。Smart Power出於希拉利之口，但相信源自克林頓。Smart Power可翻譯成巧妙的克制力量，筆者簡稱為「巧克力」，女性運用更勝男性，因為外有糖衣。因此最後定名為希拉利的巧克力。

上期本欄採用了2007年7月13日筆者在《信報》的片語，以及港人刀仔鋸大樹的心態。今天再繼續講Short & Long。

Short是本大利小，這就是大樹對付刀仔：以本取利，也就是用放去收取期權金。這種機會每月都有，但必須用保守的方法耐心地去做。表面看來利大，但往往以年計。相信可以贏不少基金。

Long是本小利大，也是每個人的夢想。但除了惰勢、運氣經常有你要十分留意市況。動做功課才能抓住機會。若從馬後發炮，當然十分興奮。但在實際操作中，獲利的機會頗低。所以長遠來看利大。

Long要輸得起

Short是投資，既然是投資，就要按照放股坤畢非德的格言——保本第一。因此只能投資安全的利潤。所以筆者在早期教室即加添子兵法的「勝兵先勝而後戰」。未容做Short，也就是說出手時要令自己立於不敗之地易。學也不難，但與大市配合運用，在實際操作中並非想像中簡單。若想成為期權市場長期的獲利者，是需要一段時間磨練。

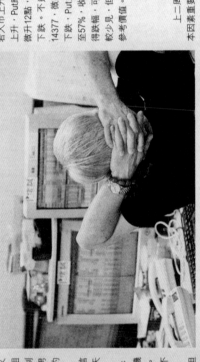

Long是投機，是賺高風險的錢。若你的心態能做到輸得起的錢進行，在投機市場，所以要用輸得起的自制能力。會果因為輸錢而賠上一半。輸得起並不等於有蒙氣去輸錢，而是有良好的自制能力。會果因為輸錢，保留利潤，留待下次再試。不會因為輸錢而感到內疚。

我們不得不認同，期權操作不能像賣股票做的直覺了，必須花時間耐心地徹清整個遊戲規則。一是考慮作期權的運用。二是考量作期權的關鍵，聽起來容易，但與大市配合用，在實際操作中並非想像中簡單。若想成為期權市場長期的獲利者，是需要一段時間磨練。

今天我們講引伸波幅的影響有多大。在一般市況下，

若大市上升，即使只升少許，等價期權的Call應該上升，Put應該下跌。如本周五大市收報13255點，做十12點，等價期權13400點Call上升，13400點Put下跌。不過，我們可以見到，上周五大市收報14377，微跌38點，等價期權是14400點，理應Call下跌，Put上升，但由於引伸波幅在1月8日的56%巧升巧下跌。

至57%，收縮至1月9日的49%至50%，所以Put也續得跌幅，可見引伸波幅對期權金的影響，有明顯的較少見，但值得大家留意，作為教學用的參考價值。

留意貨幣行情

上一周也提及要多看貨幣行情，教育目前的基本因素重要。原因是若你的進場心態是跟著近期的你將場出心臟病，但是貨幣心態未走向正面目前的資金極為龐大，只是投資心態未走向正面下周的焦點應是奧巴馬上任，筆者早前有文章提及也是一位足有包袱的政治領袖，一定會「博到盡」，其班底入場強其事，本周先冀3500億美元將救市，可以行使，下月中的8500億美元再加，有人才再加上有錢財，國內國外的一系列新放放方案將迅速推出不可能等到失業率再創高位。中東局勢繼續惡化，筆者認為，目前是消息進貨的機會，加上中天恒指等價期權的引伸波幅已在50%以下，所以不用擔憂損失周六及周日目的期權金。建議用部分利潤Long Call因為Long for Change,Long for Obama。

大福證券網上服務投資顧問

筆者為香港證監會持牌人

2009/03/28

做指數期權不應該長期用 Short 而不用 Long 做保護,用 Short 賺了一個月,下月就會更大膽,更貪,其實就是一步步走向風險。

吃住「驚風散」打「拳／權」

指數期權,本月初,筆者一直呼籲小心 Short Call,除非有保護。在期權教室茶餐廳也有文章,提醒各位要有耐心。可惜還是有少部分朋友按捺不住貪念,沒有耐心等波幅出現,就採取 Short Call 的策略。大部分做 138 - 140,雖然損失並非嚴重,也可以採取策略補救,但本週所承受的心理壓力實在不輕。吃住「驚風散」打「拳／權」,底氣一定不足,這不是本教室提倡的方法,希望各位要從錯誤中學習。大多數朋友如上月 M 堂的分析做 Short Put,本月獲利可觀,筆者更是感謝主!

2009/04/04

此刻執筆寫 VIX 的導讀文,也令筆者想起好朋友潘玉琪先生,記得當時(2009 年初)我們倆人對期權的興趣極高,計劃組建一家公司自行開發香港的 VIX。幸好未投資,因為 2011 年 2 月,香港版的 VIX,也就是 VHSI 由恒生指數公司正式推出。

筆者認為,一般散戶要運用 VIX 在直接買賣(也就是 Trade VIX),頗有難度。但用來操作指數期權,VIX 則頗有參考價值,關鍵是留意非正常現象,本書還會有其他篇幅介紹。

事過境遷，2009 年筆者服務於大福證券，同年大福被海通收購。當年在《信報》以大福證券網上服務投資顧問發表的文章放於本文文末作為紀念。

期權 IV 和 VIX

筆者在前幾個月的文章中一直認為，10676 可能是這次熊市的支持位，此位可能再見，但若再見，應該是全力買進時，因為屆時市場會用雙底論來形容將會展開的升浪。匯控亦然，宣布供股後股價從 54 元左右大跌至 40 - 43 元，筆者視之為這次的支持位（不應以 33 元作為指標，理由在此不贅！），此位可能再見，但又會是入貨良機。當時匯控佔恒指的比例達 15%，上下一元影響指數變動 53 點左右，要在香港股市操作，對匯控股價一定要有認識。

本週的焦點是週四大升 1002 點，也有成交配合達 752 億。但筆者觀察到當天的等價引伸波幅 14600 Call，錄得 44，比週二在該位的等價引伸波幅只多了 4 個百分點。對於近期能在一日之內急升 1002 點的大浪，4 個百分點實在偏低。但也是由於引伸波幅不高，說明市場人士對後市的看法並非十分樂觀。所以，本週在指數期權操作上只能賺到升幅，IV／引伸波幅佔不到多少便宜。但是，若能在上週指數處於 13400 時，等價 13400 Put 引伸波幅有 47，在當時做了 Short Put 的朋友，就可以在此回升浪中既賺到升幅，也可以賺到多少引伸波幅。

另外，在週四 Call 位的成交除了 16000 有 1812 張外，其他行使價成交一般，因此，筆者決定平 Short Put 之餘再開 Short Call 價外，並用部分利潤做 Long Put，且看至月中，長假期後的表現。

再看美股，週四晚也大升 216 點，升幅達 2.8%，成交也增，在這樣具動力的升勢中，

美股的 VIX，相對以往的紀錄，應該有明顯的回落，但是市場的反應只回落了 0.24，説明市場人士對此波的急升有保留。見此，筆者週五增 Short Call 價外。

　　週四的急升，匯控為恒指提供了近 350 點進賬，全日大升 6.5 元（近 14％）。筆者耳邊突然響起：在供股權證買賣期，有大量的輿論認為供股證買賣完成後，匯控股票大增，一定會對股價帶來壓力。這的確是一種正確的線性邏輯思維方法，一點都沒錯，但運用在充滿人性情緒的股市，可能要略作調整。此刻筆者聯想到《信報》專欄作家曹仁超先生的一句話：「就是要和群眾對著幹」。

　　雖然本週升勢強勁，有成交配合，似乎春意降臨，等待百花開放之時。但在此刻，筆者還是多穿衣服小心春寒，提防一個不留神中流感招。此番升市的政策面因素太強，財技味濃，而實質經濟面太弱，反映在 IV 和 VIX 可能已説明一些問題，愚見供各位參考。作為散戶，還是應該以進兩步退一步的方式在上落市中遊走，步步為營！

杜嘯鴻

IV和VIX

筆者在前幾個月的文章中一直認為，恒指10676點可能是這次熊市的支持位，此位可能再見，但若再見，應該是全力買進時，因為屆時市場會有雙底論，來形容將會展開的升浪。滙控（005）亦然，宣布供股後股價從54元左右大跌至40-43元，筆者視之為這次的支持位（不應以33元做為指標，理由不贅），此位可能再見，但又會是進貨良機。滙控佔恒指的比例達15%，上下一元影響指數變動53點左右，要在香港股市操作，對滙控股價一定要有認識。

本周的焦點是周四大升1002點，也有成交配合達752億。但筆者觀察到當天的等價引伸波幅14600 Call，錄得44，比周二在該位的的等價引伸波幅只多了4%。對於近期能在一日之內急升1002點的大浪，4個百分點實在偏低。但也是由於引伸波幅不高，說明市場人士對後市的看法並非十分樂觀。所以，本周在指數期權操作上只能賺到升幅，IV/引伸波幅佔不到多少便宜。但是，若能在上周指數處於13400時，等價引伸波幅13400 Put 有47，在當時做了Short Put的，就可以在此回升浪中既賺到升幅，也可以賺到多少引伸波幅。

另外，在周四 Call 位的成交在除了16000有1812張外，其他行使價成交一般，因此，筆者決定平Short Put之餘再開Short Call價外，並用部分利潤做Long Put，且看至月中，長假期後的表現。

再看美股，周四晚也大升216點，升幅達2.8%，成交也增，在這樣具動力的升勢中，美股的VIX，相對以往的記錄，應該有明顯的回落，但是市場的反應只回落了0.24【圖】，說明市場人士對此急升有保留。見此，筆者周五增Short Call價外。

周四的急升，滙控為恒指提供了近350點進賬，滙控大升6.5元，近14%。筆者耳邊突然響起，在供股權證買賣期，有大量的輿論認為，供股證買賣完成後，滙控股票大

增，一定會對股價帶來壓力。這的確是一種正確的線性邏輯思維方法，一點也沒錯，但運用在充滿人性情緒的股市，可能要做做調整。此刻筆者聯想到《信報》專欄作家曹仁超先生的一句話：就是要和群眾對着幹。

上周六的期權一周「宏觀看經濟微觀看股票」提及以0.5元 LC滙控HKC 3月45.37，以1.38平倉，先行獲利每股0.88元。步入4月，Short Put 3月45元（等於HKC 41.67），收到貨，十分高興。周四以46.1沽出一半正股，再獲利。另一半做了Short Call四月52.5，收1.28，因為相信滙控的引伸波幅會扯高至70以上，也希望本月能以53.88出貨，完成第一輪的滙控期權策略。

另外，以0.6元 Long Call 4月50.95，也以1.4平倉，每股獲利0.8元。目前倉內還持有Short Put 4月44元（等於HKC 40.74），此位收 4.5元／每股。

細心的讀者會發現，筆者做的期權平倉價，和現貨出貨價都欠佳！未能做到靠近最高價，這也是說明了「買是徒弟，賣是師傅」的道理。目前為止，筆者雖然在滙控期權策略上每步都錄得利潤，但比起市場能給予的利潤，相對減少，還未達到師傅的境界，仍需不斷修煉。

雖然本周升勢強勁，有成交配合，似乎春意降臨，等待百花開發之時。但在此刻，筆者還是多穿衣服小心春寒，提防一個不留神中流感招，此番升市的政策面因素太強，財技味濃，而實質經濟面太弱，反映在IV和VIX可能已說明一些問題，愚見供各位參考。

作為散戶，還是應該以進兩步退一步的方式在上落市中走，步步為營！18日見。

大福證券網上服務投資顧問
香港證監會持牌人

DJIA	7978	216.48	4/2/2009	4:04 PM
NASDAQ	1603	51.03	4/2/2009	5:15 PM
SP500	834	23.30	4/2/2009	4:59 PM
VIX	42.04	-0.24	4/2/2009	4:14 PM

2009/05/30

筆者認為分析倉位變動對操作指數期權非常重要,因為成交,特別是大成交反映了大戶對波幅的觀點。若閣下落場,查看倉位(OI)應該是每天的動作,筆者稱之為「刷牙」。

半月波幅一日達

五月截至 27 日的月波幅只是 2129 點(17984 - 15855),但日波幅驚人,結算日做出近千點升幅,幾乎達月波幅一半。這就是訪港資金的特色,也是港股特色。筆者不贊成用賭的心態在股市操作,但現實看來大戶的賭態更兇,為了快速賺錢,香港股市自然是國際投機者的櫃員機。

從今年元月起筆者一直看好,原因是壞不到哪裏去,所以主要策略是保持 Short Put,Long Call,再加小注 Short Call,此法當然可以獲得可觀的利潤。在四月底的分析堂上,筆者對於後市仍然看好,而且相信六月會更好。但持續了數月的策略,進入五月,特別是四月底的市場氣氛再加上豬流感,對五月的觀點是趨向保守,認為應該是乘勢調整,調整後六月再上。所以前兩週的文章講的是股票期權平好倉後用 Long Call 博取自己認為的最後利潤。但在指數期權卻用了 Short Call,因為見月波幅不大,觀點又是調整,特別是見大戶在 5 月 11 日平好倉,所以決定持倉,結果是在最後一天輸大錢,雖然未傷筋骨,但見利潤來去匆匆,也是肉痛。

五月是一個升市,16400 Call 早有重兵 5 千多張,其中 3135 張是在 4 月 8 日成交(當天是大跌市),未平倉合約大增,當天的 164 Call 期權金為:開 279,高 288,

低 202，收 243。此倉位的大減持是在 5 月 11 日（當天是大升市），有 2714 張成交，當天 16400 Call 期權金為：開 1200，高 1300，低 853，收 861。若配合圖表看，各位讀者不難發現其策略運用與『期權循環圖』原理一致，就是在『跌有限』的情況下偷步 Long Call 看升，持倉時段也是 30-50 天，在看『升有限』的觀點時，平倉獲利，真正是 Time the market！

期權的分析方法多，筆者在研究和分析期權的工作中，雖然會參考常用的技術指標，但更關注的是未平倉合約。因為本人認為這些屬於 Raw data，也就是說還未經加工的數據，是市場行為真實直接的反映，這對分析有時間值概念的期權，可能更為實用。

從盤路看，結算最後一天的利潤區應該是 17200 － 17600，但該區域結算當天 17400 Call 行使價只有 957 張成交，17600 Call 行使價也只有 647 張成交，以當天的升幅計，實在不多。即使是前一天，成交集中的 17000 Call 行使價有 1023 張成交，17200 Call 行使價有 1124 張成交，未平倉合約在這兩個行使價的變動只分別錄得正數兩百多，也就是說好倉建立並不多，股市櫃員機的提款帳戶似乎不是期權倉。

27 日是場內結算，29 日是場外結算（28 日為端午節假期），這兩天都是 900 億以上的大成交，資金在，波幅應該不會小，各種技術指標分析此時此刻都可能略欠妥當，資金市要升，就莫估頂，若認為繼續會升，就簡簡單單 Long Call 跟，或等到自己的看市觀點可以在『期權循環圖』找到落筆之處，才有動作。若有回吐，十分正常，回到 15800，資金市的起步點，不足為奇。

六月的期權盤路 Call 在 17200 行使價，目前已有 3808 張，該倉是在 4 月 8 日建立，當日有 2017 張成交，未平倉合約基本正數，期權金 188 － 256。第二大成交是 4 月 20 日，

有 761 張成交，未平倉合約也是基本正數，期權金 300－421。此位已過千點，但未見動靜，估計應該是結算完才會有動作。

Put 在 14400 行使價，也已累計有 4284 張，此位的成交十分活躍，從 4 月 30 日有 563 張成交起，大市升，此位的期權金降，但成交保持，而未平倉合約不斷增加。若閣下想在 Put 打主意，可能要如 M 堂所講，先買保險再開車。

2009/06/27

執筆時是 2015 年，此刻在報章上已鮮見提及場外引伸波幅，此數據對操作期權，特別是指數期權十分重要，可惜的是難以從公開資訊得知，能獲得場外資訊當然有優勢，但這也造成了不平等現象。場外引伸波幅是指數期權的重要數據，若有相關數據出現，各位應該重視。

引伸波幅　場內場外

最近，美國財長蓋特納，提出了美國金融業近半世紀以來最具體的改革方案，工程巨大。筆者從報章中看到的消息所知，以及最關注的是他提出要把場外交易的資訊透明度提高。筆者為此感到振奮！因為場外交易的金額和數量遠遠高於場內，目前監管當局無從了解涉及這些巨大交易的細節，公眾人士更是無法得知這些資訊。但是，一旦這些巨大交易出問題，將帶來無法避免的社會成本。提高場外交易的透明度，讓社會大眾有機會了解這些資訊，提高了有關金融機構的社會責任感，也讓社會人士對金融行業加深認識。這個改革若能成功，應該對社會大眾是一個福音。

《期權 Long & Short》之進階篇

上週，見香港交易所也一同和應，提出要將 10% 的期權場外交易移至場內進行。當然，此乃諮詢階段，但意義深遠。對於筆者的理解是，若 10% 的場外交易能在場內進行，等於該場外交易在場內有一個樣本，公眾人士可以根據該樣本放大，看到場外的行情，這的確是一個好主意。香港是自由度極高的地區，所以吸引外資，但太過自由放任未必有利目前要把香港打造成世界級金融中心的目標，特別是我們正在與周邊地區競爭。

香港衍生工具盛行，可稱之為是世界的衍生工具之都。在本港報章上經常見有人提及場外期權的相關數據，特別是場外期權的引伸波幅，因為這個數據對買賣衍生產品十分重要。可惜的是，一般投資者卻難以獲得場外的相關資訊，作為自己在場內做交易時的參考。但香港的現實是，場外的因素影響場內頗巨。

引伸波幅對做期權關係重大，對做窩輪亦然。香港窩輪普及，所以我講窩輪。有些說法是，期權的 Long 等於窩輪，所以是 Call 輪 Put 輪，沒錯。但讀者要留意的是，若閣下選擇一個窩輪，資產，年期，行使價等因素都相同，只是發行商不同。請問閣下，不同發行商給的引伸波幅會相同嗎？若引伸波幅不同，閣下的窩輪價格應該也不同。但期權是聯交所和期交所的產品，聯交所和期交所只提供產品，不做買賣。買賣主要由多位莊家負責進行，他們提供及時串流報價，報價經港交所優選後給市場買賣，莊家自身也會參與買賣，活躍市場。

引伸波幅是市場價格進入期權公式中計算得出的數值，市場價格不斷變化，引伸波幅也會相應變化，因此有說法是，引伸波幅是市場給的。由於不介入買賣，引伸波幅的高低當然與聯交所、期交所沒有利益衝突。因此，從交易的機制上看，感覺公道許多，買賣令人較為放心。

引伸波幅不是市況的升跌幅，但通常對後市有啟示作用。引伸波幅的數據不是絕對值，只能跟近期的引伸波幅相比才有意義。比如説今天引伸波幅是 38，好像不高，但由於昨天是 36，所以今天高。期權的許多數據指標都與引伸波幅一樣，要在比較下才有效。不像 RSI，在 80 為高，表示超買；在 20 為低，表示超賣。RSI 這種技術指標，是屬於絕對值的指標。引伸波幅高，可以預計後市波幅大；引伸波幅低，則可預計後市波幅會降。如此重要的數據，若在場外進行，而場內不知，這的確令市場的參與者，特別是場內的期權交易者覺得「蝕底」。

由於場內場外的引伸波幅對香港衍生工具的交易影響巨大，今天筆者表達完對金融改革的認識後，有一想法：為了讓香港衍生工具更具特色，能發展得更完善，建議在 10% 場外進場內的諮詢與落實之前，提議是否可以盡快在港交所的網站，每日定時公布場外期權交易的引伸波幅。

2009/07/11

指數期權的誘人之處就是可以用 Long & Short，或者加上期貨，將自己的想像力發揮得淋漓盡致，策略成功，滿足感比賺錢更有意義。不過，還是在堂上所講，你必須有時間，是 Professional Trader。所謂保守，就是倉位要做到輸有限。

保守的投機者心態

以 2009 年 6 月份為例，指數在 19000 前反覆，突破 19000 至 19161 後又再回落。

《期權 Long & Short》之進階篇

將大市的趨勢放進『期權循環圖』中看，筆者的觀點是『升有限』。故建議 Short Call 的策略。當時定位在 7 月份的 21000 行使價，因為分析後認為從此波最低位 10676 起計，上升 100% 可能是短期的頂，跟著應該進入調整。所以 Short Call 此位，收取 100 點以上的期權金。同時也可以考慮 Long Put，但 Long Put 的技巧多，可以是為 Long 而 Long，也可以是為 Short 而 Long，各人只能根據自己的觀點和持倉定策略。

根據 6 月的波幅情況，日波幅大，月波幅小，最高是 19161，最低是 17375，月波幅 1786 點。7 月開市 18780，亦是目前最高，低見 17493，牛皮狀況，月波幅至今 1287 點。從波幅看，目前短期的支撐位應該在 17300 － 17400，若認為是調整市，此位 7 月應該會見到。因此，若閣下要做 Short Put，認為已跌至一個位，則應該當指數靠近 17300 － 17400 時才開倉，而且是價外，這樣做風險大減。當然，若本月指數不到 17300 － 17400，您可能錯失 Short Put 的機會，但您已有 Short Call 的利潤在手，勝籌在握，這就是保守的投機者的心態。

若你手上有 Long Put，你操作 Short Put 將更加自如。但由於 Long Put 有時間值的因素，月中之後不能久持，所以下週中必須做決斷。由於充份利用了這些因素，本人六月又錄得利潤，七月也進入了利潤區。本月的日波幅收窄，不利短炒，但時間把握得好，做 Short 應該也有不錯的回報。

2009/07/25

引伸波幅高低對開倉十分重要，IV 偏高，若閣下開 Short 倉開錯，當 IV 收縮時還可以幫你；但在 IV 偏低時，閣下開 Short 倉開錯，到時市場波幅加上當時的 IV 將一起向你算賬。

期權引伸波幅與市場波動

7月中起，在大市處於低位 17254 時，恒生指數期權的引伸波幅 /IV，一直處於 30 左右的水平（見表：恒指 7 月引伸波幅），變動不大。但看本月的市場波幅與引伸波幅的變動不太配合。筆者想以恒生指數在 7 月中的收市價計，以引伸波幅分析本月市場的波幅。

日期	恒指收市	等價期權引伸波幅
7 月 13 日	17254	33
7 月 14 日	17885	30
7 月 15 日	18258	30
7 月 16 日	18361	30
7 月 17 日	18805	28
7 月 20 日	19502	30
7 月 21 日	19501	32
7 月 22 日	19245	31
7 月 23 日	19817	30

（表：恒指即月等價期權引伸波幅—2009/07/13-23）

《期權 Long & Short》之進階篇

　　在衍生工具中，引伸波幅對相關資產的價格影響十分明顯。在本月的灣仔書展有售筆者新書《期權 Long & Short》，有頗多篇幅論及引伸波幅，此處篇幅有限，僅以即時市況分析。引伸波幅的高低，除了期權市場的買賣關係外，很重要的是市場對後市的波幅預期。但是，以本月的偏低引伸波幅計，本月的市場波幅相對偏高，應該超出了市場人士的預期。我們可以比較 2008 年引伸波幅在 30 左右的日子是 8 月份，該月的波幅是 2531 點（最高 22881－最低 20350）。我們再看 2008 年 12 月，在引伸波幅處於 50-60 之間時，該月的市場波幅也只有 2436 點（最高 15781－最低 13345）。所以計至 7 月 24 日，本月的市場波幅已達 2878 點（最低 17186 點－最高 20064 點）。

　　在引伸波幅偏低時，當然期權金也便宜，特別是在市場引伸波幅保持平穩的狀態下，期權 Short 倉應該有不錯的回報。但若引伸波幅在偏低的情況下，市場波動高，就會對期權 Short 倉帶來風險。

　　在 7 月下半個月的升市中（以 7 月 13 日起計），有些做了 Short Call 的朋友，若沒有上半個月 Short Call 倉的利潤，和下半個月 Short Put 倉的利潤做補償，可能損失較大，若破位後用 Long 鎖倉，損失可能會小些。若採用搬倉的策略，就要看 8 月的市況。從 6 月份月線圖看，形態是呈十字星，是待變的信號，所以市場普遍認為要進入中期調整，但未見。若 7 月還是呈十字星（7 月起步是 18781），也就是說待變狀態持續，進入中期調整的可能性仍在。但若是呈平頂上升狀態，高收 20000 點以上，後市則要看高一線。

　　目前雖然是資金市主導，但美股大升，也有「亮麗」的業績支持，這些都是托美國以改變會計制度的方法，提升企業利潤所致。所以第二季度的業績報表已説明，按新的

會計制度計，盈利增長可期。

　　我們是市場的追隨者，只有根據市場的變化，調整自己的期權策略。心態保守，保持謙卑，永遠是期權制勝的關鍵。

2009/08/08

　　在期權教室基礎堂上有講 IV/ 引伸波幅，有引伸波幅有微笑 /Smile 和不微笑 /Skew 之分，這篇文章正是說明這種現象。筆者觀察引伸波幅是以等價 /ATM 計，看月波幅 Call/Put 的可達之位 /OTM，若 Call 位 IV 大幅低於 Put 位，此為 Skew，大致相同則為 Smile。此篇文章的插圖不算誇張，只是說明當時的市況。

八月初期權引伸波幅不微笑

　　在運用期權引伸波幅時，有一種理論稱之為 IV-Smiling。當然，總是嘴歪。這種理論就是說，在一般情況下，等價的引伸波幅（Implied Volatility）是最低的，價外的 Call（行使價高於等價）和價外的 Put（行使價低於等價），其行使價的引伸波幅相對等價的引伸波幅都會偏高，而價外 Put 的引伸波幅在整體上還會略高於價外 Call 的引伸波幅。

　　我們可以分析一個現實的例子，從 2009 年 4 月 28 日的 IV 圖（見圖 1），我們可以看到，恒生指數當時是做 14525，我們就以 14600 為等價。

《期權 Long & Short》之進階篇

先看 Call，等價 14600 Call 的引伸波幅是 71.5－77.5，行使價高於等價，從 14800 起，引伸波幅為 73.9－78.3，如此類推至 1000 點價外，15600 Call 是 110.5－115.6，都是高於等價。再看 Put，等價 14600 Put 的引伸是 71.0－83.7 ，行使價低於等價，從 14400 起，引伸波幅為 76.1－ 82.3，如此類推至 1000 點價外，13600 Put 是 112.5－122.5，都是高於等價。

買入量	買入(波幅)	沽出(波幅)	沽出量	置中行使價	買入量	買入(波幅)	沽出(波幅)	沽出
2	14522	14525	1	HSIJ9				
10	1010 (0.0%)	1251 (298.1%)	10	13400	5	2 (117.0%)	4 (129.3%)	4
10	814 (0.0%)	1054 (265.1%)	10	13600	35	5 (112.5%)	8 (122.5%)	16
11	650 (0.0%)	859 (232.5%)	10	13800	5	8 (99.5%)	9 (102.2%)	3
10	401 (0.0%)	622 (167.6%)	10	14000	1	16 (89.7%)	20 (95.5%)	9
5	346 (68.6%)	374 (95.3%)	5	14200	2	37 (83.1%)	44 (89.4%)	11
2	198 (71.9%)	215 (83.4%)	2	14400	2	81 (76.1%)	90 (82.3%)	2
8	92 (71.5%)	101 (77.5%)	1	14600	8	168 (71.0%)	188 (83.7%)	8
15	37 (73.9%)	42 (78.3%)	5	14800	8	307 (67.8%)	330 (87.6%)	8
61	10 (72.0%)	15 (79.8%)	1	15000	8	480 (53.3%)	507 (98.9%)	8
4	5 (82.2%)	7 (87.8%)	2	15200	8	670 (0.0%)	699 (115.7%)	8
8	3 (93.3%)	6 (104.7%)	10	15400	8	867 (0.0%)	897 (136.4%)	8
1	3 (110.5%)	4 (115.6%)	3	15600	8	1065 (0.0%)	1095 (155.3%)	8
15	2 (120.4%)	3 (127.4%)	1	15800	8	1265 (0.0%)	1295 (176.3%)	8
92	1 (125.2%)	2 (136.1%)	9	16000				

（圖 1：恒指即月期權 IV─2009/04/28）

　　細看圖中 Call 和 Put 各行使價引伸波幅的變化，我們可以看到，價外 Put 的引伸波幅一般都高於價外 Call 的引伸波幅，這也就是形成了引伸波幅的微笑（IV-Smiling）。

　　但我們也發覺，進入 2009 年 8 月，引伸波幅的微笑消失了，形成了斜線。等價在中間，價外 Call 行使價的引伸波幅完全低於等價的引伸波幅，價外 Put 則完全高於等價的引伸波幅（見圖 2）。

es HSI 2009/08			Quote Request		HSI22000H9 (Hang Seng Index 2009-08 22000 CALL)				
N					Center				
B.Qty	Bid(Vol)	Ask(Vol)		A.Qty	Strike	B.Qty	Bid(Vol)	Ask(Vol)	A.Qty
3	21051	21056		1	HSIQ9				
					18800	3	139 (40.3%)	145 (40.9%)	9
					19000	2	161 (39.6%)	174 (40.7%)	11
					19200	5	193 (39.3%)	199 (39.8%)	7
2	1806 (33.2%)				19400	10	223 (38.5%)	232 (39.2%)	3
2	1646 (33.3%)				19600	27	263 (38.1%)	279 (39.2%)	36
2	1557 (37.3%)	1589 (39.4%)		2	19800	10	307 (37.6%)	319 (38.4%)	4
10	1415 (37.3%)	1479 (41.0%)		2	20000	9	359 (37.2%)	372 (38.0%)	15
2	1262 (36.3%)	1303 (38.6%)		2	20200	6	418 (36.8%)	429 (37.5%)	4
2	1129 (36.0%)	1167 (38.1%)		2	20400	5	483 (36.4%)	495 (37.1%)	4
2	1009 (36.0%)	1037 (37.5%)		2	20600	14	554 (35.9%)	570 (36.8%)	23
5	891 (35.7%)	912 (36.8%)		5	20800	7	637 (35.6%)	651 (36.4%)	23
13	781 (35.3%)	800 (36.3%)		5	21000	1	727 (35.3%)	742 (36.1%)	23
23	682 (35.1%)	699 (36.0%)		9	21200	12	824 (34.9%)	841 (35.8%)	23
4	593 (35.0%)	609 (35.8%)		16	21400	5	933 (34.7%)	958 (36.0%)	2
2	511 (34.8%)	525 (35.6%)		9	21600	2	1026 (33.2%)	1095 (36.7%)	2
7	436 (34.5%)	447 (35.2%)		5	21800	2	1152 (33.0%)	1222 (36.6%)	2
7	369 (34.3%)	381 (35.0%)		9	22000	2	1237 (30.1%)	1396 (38.6%)	2
4	311 (34.1%)	322 (34.8%)		7	22200				
4	260 (34.0%)	271 (34.7%)		9	22400				
4	216 (33.8%)	225 (34.5%)		1	22600				
9	178 (33.7%)	188 (34.4%)		4	22800				

（圖 2：恒指即月期權 IV—2009/08/04）

從此圖我們可以看到，當時恒生指數是做 21056，等價為 21000。

先看等價 21000 Put，引伸波幅為 35.3 - 36.1，行使價低於等價，從 20800 起，引伸波幅為 35.6 - 36.4，如此類推至 1000 點價外，20000 Put 是 37.2 - 38.0，都是高於等價。十分正常。

再看等價 21000 Call，引伸波幅為 35.3 - 36.3，行使價高於等價，從 21200 起，引伸波幅為 35.1 - 36.0，如此類推至 1000 點價外，22000 Put 是 34.3 - 35.0，都是低於等價。有些反常。

價外 Call 的引伸低於等價，微笑消失。我們可以分析為市場人士不願意為 Call 付出較高的期權金，但仍然願意為 Put 付出較高的期權金。若閣下認為八月可能是回調的月份，這一現象值得您參考。

2009/10/03

《期權 Long & Short》筆者有提及用 Raw Data 要多於用 Row Data，此篇文章值得參考。

不是價位而是張數及心理因素

回顧 9 月的指數期權，我們可以看到 Short Call 是大贏家，特別是 21000 Call。該倉整個 9 月基本保持為最大倉位，最多時見 6462 張，我們細看 9 月 21000 Call 的幾次大成交（見表），可以歸納幾點：

一）從日期看都是在指數急升後做的；

二）期權金都是在當時上漲的高位；

三）該行使價的引伸波幅也處於本月高位。這也是筆者所強調的，要在期權數據對自己有利的市況下做倉。

日期	成交張數	期權金高 / 低	昨日未平倉 / 當日未平倉	引伸波幅
7 月 23 日	2657	630/509	2945/5418	32
8 月 05 日	3502	1040/806	5508/4998	34
9 月 09 日	1656	602/480	6389/6462	30

（表：2009 年 9 月恒指期權 21000 Call 的主要成交細節）

可是，在指數升至 21929 高位的 5 個交易日，21000 Call 期權金漲至 1060 點時，該位的未平倉合約並沒有明顯變化，說明主要成交可能是由 Short Call 倉主導。所以，本月的 Short Call 倉只要守得住，基本全部賺錢，有的甚至是吃兩次牛扒。守不住的不是價位，而是張數過多，要不然就是心理因素，高位止蝕離場，導致虧損。

如筆者在《期權 Long & Short》所寫，這些分析都是用未加工的 Raw Data，若能看通，有按章法做，就會堅守 Short Call 直至利潤出現。

《期權 Long & Short》之進階篇

2009/12/12

　　這篇文章頗為精彩，是期權教室講 Long Call 的教材，各位可以看圖：當時是 11 月 27 日，本月期權金已所剩無幾，但下月期權金在引伸波幅的推動下顯得非常豐厚，所以可以用 Short 12 月 Put 和 Long 11 月 Call 的策略，賺足聖誕及新年的花費。

先 Short 後 Long 棕櫚島度聖誕過新年

　　前兩週的文章提及在杜拜世界拖欠還款導致金融大震蕩，筆者建議及採取的動作是先 Short Put，然後買進 Long Call。在上兩週的市況變化中（見圖 1），許多朋友的聖誕大餐和旅遊計畫都已落實。期權教室有位朋友做 Short Put 18800，收 180 多點，充分利用了 IV/ 引伸波幅的威力，值得為他喝彩！但是否用利潤 Long Call，這當然是見仁見智，盡管前兩週市況處於 22500 水平時，許多 Long Call 都有 70-100% 的利潤，但還是有許多保守者是不習慣用 Long 冒險的。至於為何要先 Short 後 Long，筆者今後的篇幅會細述。期權世界的精彩之處就是各取所需，自由發揮，自我滿足。

　　本週杜拜世界與眾債權人展開談判，令這個故事重演，12 月 9 日港股再度大幅下跌，一度跌至 21658（牛證密集區為 21600 － 22100），但尾市期指少有地呈現大高水 150 多點，走勢十分飄忽。當日期權成交相當活躍（見圖 2），張數更勝前兩週，倉位也明顯上移。12 月 20000 Put 有 4652 張成交，OI/ 未平倉合約正數 1655 張，12 月 24000 Call 有 2176 張成交，OI/ 未平倉合約呈負數 438 張。筆者認為是平淡倉開好倉居多。個股方面很明顯，越是優質，跌得越多，説明是在套現。12 月 11 日，港股明顯開始反彈，但成交略欠，不能收在 22000 以上。不過筆者認為目前可利用的負面消息已不多，反彈會

持續，下週很有可能出現高潮。若是，準備過新年的費用也將有著落。

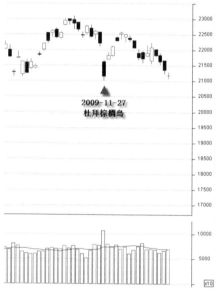

（圖 1：杜拜棕櫚島事件前後的恒指日綫圖）

認購期權										盤中	認沽期權									
未平倉	總成交量	最低	最高	前收市	成交	買入量	買入	沽出	沽出量	行使價	買入量	買入	沽出	沽出量	成交	前收市	最高	最低	總成交量	未平倉
84,821K	75.36K	21632	22064	22069	21896	1	21890	21898	3	HSI29										
522					2335					19800	1	58	93	1	82	68	116	72	344	1.26K
4.811K					2151					20000	1	90	105	1	100	84	143	85	4.652K	6.977K
305					1969					20200	1	115	133	1	115	102	169	104	674	3.295K
628					1792					20400	5	132	150	1	146	120	200	125	1.244K	4.028K
1.769K	25	1306	1320	1619	1320					20600	6	174	184	1	174	151	239	152	317	2.911K
734	4	1300	1300	1426	1300					20800	6	198	226	5	212	178	289	180	1.181K	2.971K
3.666K	58	1101	1268	1279	1115					21000	1	247	320	3	250	215	342	218	1.081K	7.854K
1.134K	9	925	1058	1108	925					21200			411	1	310	258	400	263	446	2.597K
1.039K	113	720	873	983	850	1	712			21400	1	177	480	1	365	320	478	309	679	2.433K
972	65	615	792	832	725	1	515			21600	1	405	1050	1	430	373	562	370	809	2.592K
914	269	500	677	699	596	5	597	615	1	21800	5	503	531	1	520	438	650	448	568	2.313K
5.406K	881	400	574	600	503	5	485	512	5	22000	10	593	621	5	611	526	760	539	275	4.496K
2.037K	374	333	463	483	409	1	5			22200					723	639	894	645	90	1.32K
2.5K	803	262	388	400	325	3	325	340	1	22400	5	802	873	5	865	758	1005	743	66	1.975K
5.233K	593	205	310	314	264	1	259	270	1	22600					975	880	1154	863	105	1.423K
3.713K	1.018K	165	240	255	208	1	200	243	1	22800	1	945			1175	978	1220	1050	7	632
7.024K	1.196K	124	185	200	163	1	145	165	5	23000	4	1228				1128				507
1.736K	630	96	144	146	122	1	110	125	1	23200						1287				32
1.739K	810	73	106	109	92	2	75	98	1	23400						1435				31
3.323K	710	55	78	77	70	2	62	100	1	23600					1760	1614	1760	1760	3	8
3.546K	693	43	59	53	53	1	43	55	1	23800						1791				1
12.107K	2.176K	33	45	35	40	2	37	50	6	24000					2041	1965	2041	2041	4	15
4.18K	540	24	31	22	31	1	29	32	2	24200						2153				3

（圖 2：恒指期權成交記錄—2009/12/09）

《期權 Long & Short》之進階篇

　　本人崇拜的偶像級大師——科斯托蘭尼，在他的書中有這樣的描述：「投機者的工作與記者相近，都是透過分析事件而得出最終結論。記者的結論是評論，投機者的結論則是行動。記者的評論寫錯還可以繼續寫下去，但投機者的行動做錯就可能要改行。」

　　筆者借此篇幅，再次重複前兩週文章的幾個分析句子：「我們細看杜拜世界目前講的是 4600 億港幣，合 580 億美金，大約是一間美國大行當時領取華府援助的金額。以此表面數字看，筆者認為不見得對環球金融會有如雷曼的影響，理由是其衍生面並不廣泛。眾銀行股遭殃當然難免，但這只是拖數，不會倒下，因為不論如何，杜拜世界是一個實體資產，比起無利息的紙幣，還是有它的價值，而且阿拉伯地區也需要杜拜世界。此時此刻，資金泛濫，閣下是要紙幣還是資產呢？」

　　有此觀點，是由於生意上的原因，筆者 90 年代曾多次來往中東地區，對該地區有多少認知。今天，筆者想通過杜拜世界分析阿拉伯民族的價值觀和聰明才智，分析其歷史文化和真神的智慧。本人的觀點是：阿拉伯民族是繼中國崛起後急於想要進入世界舞臺的地區，他們所作的一切都是環繞著這個主題。

　　棕櫚島地產開發是目前世界上最大的房地產項目，因為只有這種超大型的開發才能吸引世界的目光，帶出阿拉伯的驕傲。因此，這一定會是一個受支持的計劃，580 億美金對上述的主題，實在不是大數字，更何況該公司目前仍然資可抵債，也就是說完全有支付能力。但大家不要忘記，在阿拉伯世界，收取利息是不受推崇的行為，他們喜歡合作夥伴遠勝於高利貸者。若相信這裏有價值觀和理想的驅動，我們就可以預計杜拜世界將會採用較為強硬的態度與債權人談判，談判的時間越長對杜拜世界越有利，這是無成本的全球廣告，每次因此而導致的下跌都應該是買進的機會。

　　年近歲晚，利潤在手，多謝杜拜世界，讓我們預祝未來在棕櫚島上度聖誕過新年。

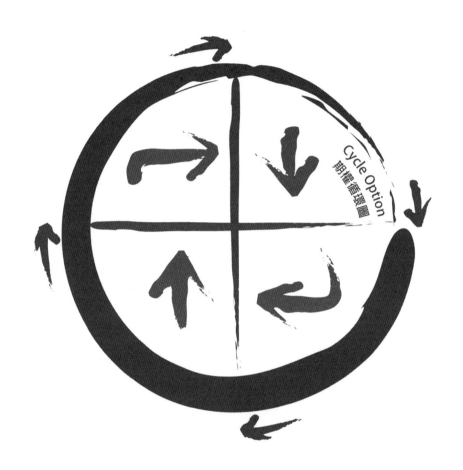

Cycle Option
期權循環圖

指數期權
2010

《期權 Long & Short》之進階篇

2010/01/23

　　市況不同，策略不同，有時是會遇上難開倉的時刻，特別是窄波幅橫行（不是指波幅收窄）。教室上堂時講，應該是 "Do nothing is doing something"。即使有信心，張數也應該減。

上落市中的期權策略

　　前兩週的文章題為〈攻上難　退下難　期權勝算〉（編按：該文收入《期權心理》書中）。理由是進入 2010 年，整體大方向是在延續 2009 年底產生的趨勢，大市波幅收窄，市場情緒敏感。這一趨勢要到主旋律產生變化而改變，主旋律就是退市和加息。奧巴馬銳意對銀行進行改革和監管，這會否是影響市場的主旋律，有待觀察。

　　上篇文章講了宏觀面的基本因素，今天講微觀面的技術分析。從保利佳通道我們可以看到，自 2009 年 11 月中開始，直至本週五前，保利佳通道都沒有明顯的收縮或擴張，也可以説還沒有出現上穿頂大升，下破底大跌的的現象。從圖表上看，並不是波幅收窄，而是窄波幅，波幅收窄是指大波幅後進入小波幅，窄波幅是指升跌波幅都在一定的波幅範圍內運行。若想運用保利佳於期權，期權教室下月有名為期權之道保利佳的課程（編按：現收入 RnR 堂－－ Raw Data and Row Data 堂的內容之中）。

　　在這種市況下，指數期權較股票期權難獲利，操作指數期權者必須願意承擔較高的風險。其理由是指數期權的 IV 偏低，波幅有限，若用 Long，除非是用較高的期權金 Long 輕微價外，又能做到 time the market，如在本週下半場進場，要身手敏捷，才能利厚，不然，贏面甚低。若用 Short，期權金偏低，價外更少，想賺多些，只能進取，險中求勝。因此，我們建議採用減少開倉的策略，資金的安排可以應付突發的市況。所以上兩週的文章提及，作為保守的投機者，倉位略可進取，張數則應略減。

2010/03/20

此文所謂悶，是指市況，悶是名詞，但在期權操作，正確的字應該是「燜」，這才是烹調的一種做法，是動詞。

筆者強調做期權要 Long & Short，要 Long Short 互用，所謂「燜」就是 Short，懂得燜，就可以在悶市也有利潤。

鈔票是可以「悶」出來的

大市悶，幾乎悶死人，3 月 10 日的恒指變動是 0.74 點，更勝 2006 年中曾出現的 1 點。可是見許多做期權的朋友都是面帶微笑，心情愉快，何故？當然都是在賺錢。筆者經常強調，期權是一個波幅性產品，是在波幅中獲利，但即使在沒波幅的市況（悶市）也可獲利，這就是期權的妙處。

大市從 3 月 8 日進入悶市，計至 3 月 19 日，最低 20964，最高 21440，波幅 476 點，等於是 2 月常見的一日波幅。筆者主張做保守的投機者，所以 2 月底 M 堂做分析時只做 Short Put 19600 或上下一格（期權行話，一格等於 200 點），Short Call 則要 22600 或上下一格。這兩個行使價是保守者所用，若以『期權循環圖』所講的動態方法做，一般都可以收到 200 點期權金，也就是所謂一份人工。

進入月中，由於時間值的因素和引伸波幅降，大部分利潤開始被「悶」出來了，持至結算完全可行，可也有略為進取的朋友在 0.75 點低波幅的日子裏平倉，手持利潤等機會再開倉，用利潤做 Long 再做 Short。比如先 Long Call 22000 付 100 點以下的期權金（16/3 最低見 50 點），然後做 Short Call 21800 收 100 點以上的期權金（17/3 最高見

186 點）。若開 Long Put，可能目前損失一半，但 Call 一定可以補償。由於是用利潤做，壓力輕，可以小注持有。3 月 19 日是美期結算，美股已創新高，但技術指標不見配合，下週如何變化無人知，有 Long Put 看門是一個選擇。這種市況不是每月如此，只是在乎我們如何用動態的策略去對付變化的市況。

上月的本欄文章《期權之道——保利佳》（編按：該文收入《期權心理》書中）描述了在保利佳通道上出現的陷阱，筆者也中招，錄得一些損失。本月在型態上出現了小圓頂配合成交減，當時看市況，似乎是有業績後減持的可能，但有了上月的教訓，淡倉策略堅持用「悶」出來的利潤並小注的原則，不能主觀認定市況，因此，若下週有向下的波幅，本月可以完美地滿載而歸。

最後，講兩句當前的熱門話題：人民幣匯率。筆者認為可能會採用不必過於爭吵的優雅型政策。目前匯率問題不單是政府層面唇槍舌戰，更是有潛在的民族情緒的火種，相信無人想見擦槍事件。此刻立即讓人民幣升值，等於未打先降，有損國威，民族情緒的火種也會點燃。但若適度調高人民幣利率（此乃內政，完全符合溫總所提：匯率，利率，通脹三者的平衡），前瞻性地防範通脹，抑制過高的樓價，同時也會令人民幣某種程度的自然升值。對美國的政客有交代，民族情緒也可控制，用時間淡化矛盾。這就是筆者所想象的：優雅型政策。若是，期權又有何策略呢？兩週後再與各位分享。

2010/05/01

ATR/N 值是值得各位期權操手研究的數據，本書數處有 ATR/N 的文章。ATR 是 Average True Range 的縮寫，N 是 Number of Days，代表天數。

在報價系統中，閣下可以選擇 N 的天數，筆者較常用 20 天（20 個交易日），也就是大約一個月的交易狀況，以此做參考。但此刻市場上比較流行的是用 14 天做參考，這只是一種習慣。下圖有兩個指標，ATR/(20) = 20 天的平均數，ATR/(1) = 當天的數值。

本文出現「Short 閣下 Long 位的下一格」，這是做 Long 的一種補救方法，風險有限，降低損失。具體就是以等價計，Long 遠 Short 近，但進場時是參考 ATR/N 選 Long 位。

ATR/N 值在指數期權的對沖策略

上兩週有關運用 ATR/N 值於股票期權的文章收到比預期更多的反饋，說明期權市場正在不斷成長，眾多散戶需要了解和掌握相關的知識。期權策略在某種意義上就是對沖（Hedge），但股票期權與指數期權運用的對沖策略大不相同，因為對沖的產品不同。若簡單分類，股票期權是用股票或現金，指數期權可以用期貨或跨價（Long & Short Spread），本文要探討的是運用 ATR/N 值於指數期權的方向性買賣策略和跨價策略。

首先，我們看本週五的恒生指數日線圖和 N 值（圖 1），恒生指數收 21108，ATR(20) 值 311 點（下文用 310 方便計算）。恒生指數期權的行使價之變動是 200 點為一格（圖 2），為了明確行使價位，我們以格計。由於除淨的原因，本月期指目前低水 200 多點，各位在做推算時要留意。

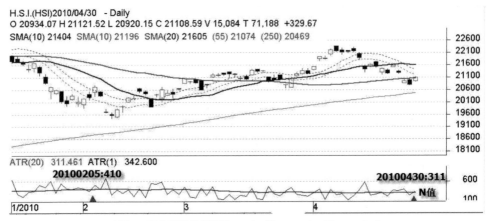

H.S.I.(HSI)2010/04/30 - Daily
O 20934.07 H 21121.52 L 20920.15 C 21108.59 V 15,084 T 71,188 +329.67
SMA(10) 21404 SMA(10) 21196 SMA(20) 21605 (55) 21074 (250) 20469

ATR(20) 311.461 ATR(1) 342.600
20100205:410
20100430:311
N值

（圖 1：恒生指數日綫圖及 ATR/N 值—2010/01 至 2010/04）

| | | | CALL OPTION | | | | | | | | Center | | | | | PUT OPTION | | | | | |
Pos	OpenInt	Volume	Low	High	Prv Close	Last	B.Qty	Bid	Ask	A.Qty	Strike	B.Qty	Bid	Ask	A.Qty	Last	Prv Close	High	Low	Volume	OpenInt	Pos
	71.248K	59.786K	20609	20896	20500	20882	3	20882	20890	2	HSIK0											
	37	6	955	1028	830	1028	2	800			20000	1	186	189	4	187	332	288	186	701	4.001K	
	20	8	759	920	690	920					20200	1	230	250	1	234	402	320	230	468	1.37K	
	153	13	658	778	581	778	1	605			20400	5	271	300	1	292	478	390	292	514	2.367K	
	328	62	517	644	468	633					20600	5	335	363	1	362	580	470	360	453	2.191K	
	828	345	400	523	381	520	1	520	550	1	20800	5	417	445	1	444	692	565	440	242	962	
	1.583K	414	310	430	296	430	5	377	436	4	21000	5	499	548	1	535	815	684	530	119	2.351K	
	1.681K	349	242	335	231	333	3	300	346	5	21200					665	932	757	665	32	1.13K	
	1.505K	393	184	261	177	258	1	260	261	4	21400	1	675			806	1091	866	795	14	2.089K	
	1.594K	634	135	198	135	196	3	185	200	1	21600	1	798			932	1250	1010	932	4	583	
	1.604K	329	96	148	101	145	1	144	150	5	21800					1180	1416	1180	1164	3	2.424K	

（圖 2：恒生指數 5 月期權成交記錄—2010/04/30）

如圖所示：1N = 310 點（1.5 格），0.5N = 155 點（1 格），2N = 620 點（3 格），3N = 930 點（5 格），4N = 1240 點（6 格）。

若做 Short，由於 2N 是波幅可預期到達之位，在這個波幅區內必須要有保護，而且要近，也就是《期權 Long & Short》書中提及的夾漢堡，中間沒有斷層。所以若 Short 位

定在 2N（3 格），應該用 Long 3N（5 格）做跨價（Spread）保護。若期權金收得少，則建議 Long 第 4 格更安全。至於是同時做 Long & Short，還是先 Long 後 Short 或先 Short 後 Long，則根據自己的經驗自行掌握。若以 1N 作為目標日波幅，捕捉到當天的高低 311 點的波幅，動態地開 Long & Short，利潤已是可觀。其中如何運用 IV，時間值，Delta 等等都有講究，但風險和利潤一般都會成正比。

若是沒有保護的 Short，起碼要 2N×2 = 4N（1240 點）以上，但不建議用只看 N 值，因為風險頗高，除非閣下能在『期權循環圖』『升有限』和『跌有限』的時刻 Time the Market，恰時進場。另外，還要與盤路也就是未平倉合約 /OI 變化結合作出分析後定行使價，這樣做才稱得上安全。

做 Long，若只是當方向性工具，要進取，進場用 ATR/N 值選行使價，原則上是可以 Long 0.5N 起 2N 止，到位就平倉。但由於 Long 的贏面低，70% 的機會會輸，所以要隨時準備退路。若做錯方向又不想輸，則可以考慮 Long 1N，撤退時 Short 0.5N，或 Long 2N，撤退時 Short 1N。簡單說，就是 Short 閣下 Long 位的下一格。做 Long 的關鍵是看時間值，所以若做當月的期權，在上月底至當月中前，可以考慮 Long 2N，進入下半個月，則應該 Long 1N。

至於月尾 Long，是 Long 當月結算前一兩天，本人不建議看 N 值，直截了當 Long 等價。

2010/06/19

　　指數期權是追求每月正現金流的工具，若波幅在上月底或即月初開始有轉勢之兆，開 Short 倉是個非常好的選擇，特別是 Put，獲利機會非常高。2010 年 6 月初，承接從 4 月開始的跌幅，應該是進入反彈，主要策略用 Short Put 開第一步。

　　這也是期權教室指數堂上講時間值與波幅的關係。

成交小與波幅大　Row Data & Raw Data

　　在《期權 Long & Short》書中筆者強調在參考 Row Data 之餘一定要關注 Raw Data，因為筆者認為散戶應該以 Short 倉為主導開倉，Long 倉輔之，這樣做不單符合期權市場給予的獲利機會，也適合散戶靈活多變的優勢。成交與波幅（指陰陽燭 /Candle Stick）是 Raw Data，對於經常要開 Short 的投機者，當然要十分留意。

　　步入六月，港股從 19600 起步，成交額明顯下降，徘徊在 500 億的水平。若單從成交不足的觀點看，大市應該是牛皮偏淡，會令人對大市的波幅掉以輕心。但 6 月 7 日大幅度裂口低開，下試 19200 的水平（見圖 1），當天的最大跌幅曾達 569 點，遠超 ATR/N 值的 368 點（6 月 4 日收 19780，6 月 7 日收 19378，最低 19211），但成交也只是 525 億，是低開高收，說明在此水平急於沽出的人士並不多。記得筆者上兩週的文章曾指出：近期市況反覆下跌，市場說不上是滿地鮮血，但也算是低潮，見許多散戶在低潮時都是不願買進，不願冒風險。在金融業中是沒有所謂低風險高利潤的買賣，即使有，能讓散戶參與的機會也十分少。散戶的利潤必須承擔風險，把握機會，而期權更是把握機會的好工具。

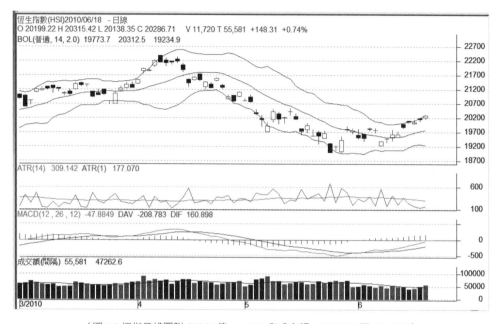

（圖 1：恒指日綫圖附 ATR/N 值、MACD 和成交額—2010/03 至 2010/06）

在期權操作中開 Short，就是承擔風險，把握機會，投機獲利的最佳寫照。若能看通此時此刻成交小波幅大的內在關係，再加上參考 Row Data（Technical Analysis），如保利佳（Bollinger Band）還在收縮，MACD 仍在熊牛區，柱狀線仍在零上保持，STO/RSI 也處於從低往高的階段（這幾個 Row Data/ 技術指標正是期權教室 T 堂的循環內容）（編按：2015 年後改收入 RnR 堂－－ Raw Data and Row Data 堂的內容之中）。作為保守的投機者應該開 Short Put，至於開什麼行使價，若閣下留意盤路，並非難尋。

做期權一般都會關注最大倉位的變化，6 月 7 日即月 Put 的最大倉位（當時已累計達 7795 張）17000 Put 有 1374 張成交，期權金最高 83 點，最低 46 點。但第一天的大跌

33

《期權 Long & Short》之進階篇

市，一般散戶是不敢進場看好的，是進取的投機者進場之際。那看多一天又如何，6 月 8 日成交繼續下跌，但大市回穩收高，策略上應該是看『跌有限』，是可以出擊的時機了。當日 17000 Put 最高 50 點，最低 29 點。若有心做，收 45 點應該無難度（見圖 2），昨天 4 - 5 點可以平倉。

Strike	High/Low	(V) Bid	Ask (V)	L.Trade (V)	R.Chg	Vol	P.Close/Open	O.I
				Put Option				
15600	8/7	(100) 6	8 (2)	7 (0)	-2	51	9/7	1031
15800	10/8	(8) 8	9 (1)	9 (0)	-2	51	11/8	1200
16000	12/9	(1) 9	11 (1)	11 (0)	-3	94	14/11	2687
16200	16/11	(2) 12	15 (2)	14 (0)	-4	110	18/11	1907
16400	19/15	(1) 15	17 (1)	17 (0)	-6	64	23/16	1466
16600	23/19	(7) 18	21 (10)	21 (0)	-8	79	29/22	1519
16800	30/24	(3) 18	25 (1)	27 (0)	-10	118	37/25	1889
17000 ➡	50/29	(2) 30	32 (1)	33 (0)	-13	212	46/50	7797
17200	48/38	(2) 36	39 (1)	41 (0)	-17	330	58/43	1608
17400	63/47	(1) 34	58 (1)	51 (0)	-21	222	72/52	3502
17600	80/37	(6) 41	63 (1)	63 (0)	-27	209	90/37	1783
17800	99/76	(1) 50	85 (1)	78 (0)	-34	123	112/90	2022
18000	126/95	(1) 90	98 (1)	97 (0)	-43	909	140/110	6024

（圖 2：恒指即月期權 Put—2010/06/08）

　　有讀者一定會問，目前正值反彈，此期權策略是否可以運用在 Short Call？筆者的觀點是：做股票的 Covered Call 當然可以，但要仔細分析個股的 Row and Raw。做指數期權則見仁見智，因為 Short Call 和 Short Put 的風險大不相同。當然，若閣下已做了為 Short 而 Long，你一定不會放過機會。

　　這就是看『期權循環圖』按動態方法做！

2010/07/31

　　對 10 萬本金的小倉，月入 3 千，按期權教室的講法是合格。這是鎖定風險的倉，若利潤能令閣下滿意，不妨試試。但閣下要留意的是跨價，一般情況下開 Condor 只是跨一格 200 點，但在波幅和 IV 處於收縮的情況下，做一格的利潤十分有限。所以，文中的倉是 Call 做兩格，Put 做三格，雖然也是鎖定風險，但其風險（兩至三格）當然要比一格大，因此還是要靈活走位。

　　附圖是用了工銀國際的戶口，也是當年筆者任職的公司，有歷史意義。

　　文章中也提及有位資深對沖基金經理 ED，他是筆者的好朋友，不單是喜歡運用期權操作，我們對事物的觀點也有許多共同之處。筆者非常欣賞他對本人的評價：「Freeman，你的期權策略是連汁都撈埋！」雖然此話略帶貶義，但本人完全認同，而且接受，因為筆者的確如此。有參與期權教室課堂的讀者一定明白，本人的客戶對象大多數都是散戶（包括我自己），而且都是自我經營，必須精打細算，以有限風險，將利潤最大化，或者說不要浪費利潤。而 ED 的客戶是超級大戶，委託經營，我與 ED 採用的策略當然會不同。這就是堂上講的 "Good strategy is no simple!"。不過，我們來往愉快，互相欣賞，樂在其中。

期權 IV 縮　做 Iron-Condor 穩妥

　　《信報》有位資深對沖基金經理也有寫期權策略，他多數是用期權策略 Iron-Condor/鐵禿鷹。這的確是個保守的期權策略，能達到輸有限，但贏也有限的境界。他在期權教室的講座上也指出，用此策略可運用於本港的指數期權。

《期權 Long & Short》之進階篇

筆者一般不建議用固定的策略做期權，主張動態做，因為動態做能更充分地運用期權的特性，還可以體會做期權的樂趣。當然，這是散戶靈活性高的優勢，也是筆者提倡散戶學做期權的原因。其實所謂 Iron-Condor/ 鐵禿鷹，就是在 Call 做一組 Spread，在 Put 也做一組 Spread，原則上應該是收的期權金比支付的多（Credit Hedge），後持倉至結算。若出現單邊市，該倉位可能產生的虧損，閣下一定心中有數。在做這種組合策略的過程中，如何選擇各個部位的行使價（也就是所謂低 / 中 / 高），如何定打和點，是否準備中途拆倉，是否應該提前平倉，都是頗講技巧的。

以下是一個現實的 2010 年 7 月倉位給大家參考（見圖）。

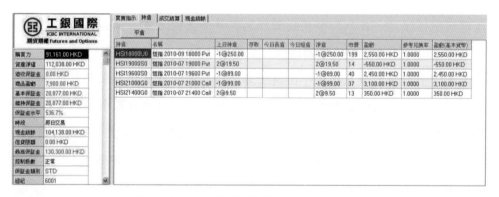

（圖：2010 年 7 月的真實鐵禿鷹 /Iron-Condor 倉位）

Call 位：Short 21000 收取 99 點 × 1，Long 21400 支付 9.5 點 × 2，利潤約 80 點。

Put 位：Short 19600 收取 89 點 × ，Long 19000 支付 19.5 點 × 2，利潤約 50 點。

建倉時預計整體利潤是 80 + 50 = 130 × 50 = HKD 6,500。但該倉位在本週的上升市中，Call 倉開始有壓力，於是先 89 點平 21000，微利 10 點解風險，然後 22 點平

21400，微利 12.5 點 × 2 ＝ 25 點。散戶的靈活性就是不要用利潤死拼，不必堅持到底，決不站在危牆之下。最終該套組合實現利潤 75 點，（Call 25 + Put 50）× 50 ＝ HKD3,750。

明眼的讀者首先會發覺，為何 Long 是兩張，而且是分別做（因為出現 0.5 點）。這是保守的投機者的行為。用兩張 Long 做保護，這無疑是令利潤降低，但由於窄波幅已有時日，萬一波幅突然拉開，出現單邊市時，有兩張 Long 在手可以靈活運用，妙處甚多，當然，期權金便宜也是因素。

另外讀者會留意到這種組合成本不高，HKD20,000 以下可以操作。倉位中的保證金 HKD20,877 是包括了 Short Put 9 月 18000 的按金。但筆者在此強調，若以十萬開倉，最多只能建兩套，這也是期權教室講 15 + 3 的原則，非常安全。

筆者 7 月建議做 Iron-Condor/ 鐵禿鷹，是由於近期波幅非常窄 IV 偏低，一般散戶會認為 OTM 利潤不夠，做 Short 會越做越近 ATM，風險也增。因此，保守的投機者應該用有保護的策略，做 Iron-Condor/ 鐵禿鷹穩妥。當然，閣下首先要滿足每月 3 - 5% 的低風險回報。

下週六（8 月 7 日）下午，期權教室在九龍灣展貿有一個「期權工作坊」，想了解多些期權知識的朋友不妨參加，筆者《期權 Long & Short》第三版也會在現場開售，詳情可進入教室網頁 www.hkoptionclass.com.hk。

2010/09/24

在本港還沒有 VHSI/ 恒指波幅指數之前，芝加哥的 VIX 是操作期權常用的參考數據，筆者在期權教室講指數期權也經常用到 VIX。期權要用 VIX 是因為 VIX 源於期權，與期權的相關性（Correlation）非常高，但要明白其結構也非易事。

在本書中也提及筆者的朋友潘玉琪先生（琪哥），他早期就有期權的書籍發行，而且有開講座，也是本港資深的期權專家。筆者聽聞琪哥曾放棄金融而去新界務農種菜，本人認為這是大智慧的表現，非常欣賞。

記得當年筆者還是在大福證券（今天的海通）任職，出於對期權的熱情，我們倆人曾決定成立公司，專注於本港的 VIX 數據。當然，如文章所寫：「夢醒及時」。

請留意，本文及其續篇〈久盼的期權明燈——港版 VIX 指數（2010/12/03）〉可能有些張冠李戴，2011 年 2 月是恒生指數公司推出 VHSI（恒指波幅指數 HSI Volatility Index），而 2012 年 2 月是港交所推出 VHSI 的期貨買賣，略有筆誤，在此更正。

VIX 指數與期權操作

VIX 指數是美國芝加哥期權交易所（CBOE/Chicago Board Options Exchange）發布的最具權威的期權指數，主要量度 30 天左右的期待波幅，最初的 VIX 在 1993 年 CBOE 用於量度 S&P 100 的波幅，由於具實用性，在 2003 年 CBOE 與 Goldman Sachs 合作，將 VIX 變化成量度 S&P 500 的波幅。2008 年更延伸至某些商品期貨和外匯。在一般情況下，

VIX 與相關資產是反向關係，VIX 上升，相關資產下降。目前該指數被廣泛地運用，並分有不同月份的期貨，可供買賣。

該指數的計算公式如下，看上去頗為複雜，數學底子欠佳的人士（如本人）若想研究公式如何計算，不如研究如何運用。

$$\sigma^2 = \frac{2}{T}\sum_i \frac{\Delta K_i}{K_i^2} e^{RT} Q(K_i) - \frac{1}{T}\left[\frac{F}{K_0} - 1\right]^2$$

（圖 1：CBOE VIX 指數的計算公式）

不過，有一句簡單的句子值得大家記住："The VIX index is calculated using a weighted sum of near-term, out-of-the money call and put prices."，本人翻譯為：VIX 是用近期和價外的認購和認沽期權的期權金，以加權的方式計算而成。讀者會問何為近期（Near-term），CBOE 制定的方法是到期日前一週，就開始使用下月的數據（美國期貨期權結算日為每月第三個週五）。為求計算合理，VIX 用買賣差價最小的行使價的期權金做計算，而且是用動態方法獲取。早些年筆者曾與朋友潘玉琪先生一起發夢，想開發香港的 VIX，幸好夢醒及時，沒有造成多少損失。但在此也希望港交所 /HKEx 能與大戶合作，創立香港的 VIX 指數，以及期貨和期權，令此金融工具能在本港實現，我們的夢想也可成真。

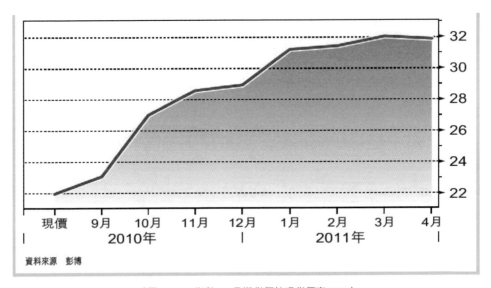

（圖 2：VIX 指數 12 月期貨價較現貨價高 31%）

上週《信報》有資料顯示 VIX 指數 12 月期貨價較現貨價高 31%（如圖 2）。有分析指出，從歷史數據看，絕大多數機會都是上升，只有一次例外，就是「雷曼」倒閉。若認同此觀點，年底升勢無疑，因為「雷曼」已倒，目前市場上沒有第二個「雷曼」站在倒閉的邊緣。

若從分析的角度看，我們首先要問 VIX 期貨走高是什麼數據導致的，簡單些可以說是該月的期權金價格上升導致的。由於計算方法是價外的認購和認沽的期權金，我們就要再問是認購的期權金上升還是認沽的期權金上升，還是兩者同樣上升。

大家都知道，影響期權金價格的主要因素是相關資產的價格波動，其次就是引伸波幅（IV/Implied Volatility）。IV 有 IV-Smiling/ 引伸波幅微笑的理論，現象就是說價外的

Call 和 Put 的 IV 都在上揚。當然,也有 IV-Skew/ 引伸波幅歪斜的理論,現象就是價外 Call 的 IV 不上揚,但價外 Put 的 IV 上揚,或者是 Call 的上揚幅度遠低於 Put 的上揚幅度。

若認同期權的基本功能就是對沖,這說明市場人士都在為自己手上的頭寸做遠期對沖。已沽現貨者目前持現金,會以 Long Call 為主要策略,希望在可能的升勢中為手上的現金增值,但對後市不是看得太好,故不願意付出較高的期權金。仍然持有較多貨者,要做風險對沖,以 Long Put 為主要策略,提防在可能的跌勢中要為持貨買保險,因此願意付出較高的期權金。遠期價外期權金上揚從而推高 VIX 遠期指數。

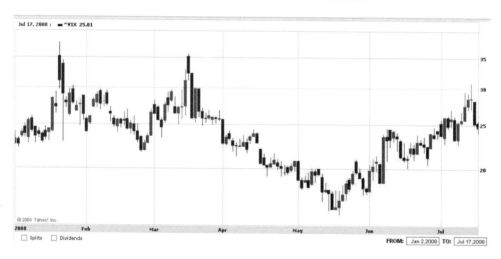

(圖 3:VIX 歷史日綫圖—2008/01 至 2008/07)

從歷史看,VIX 由 20 上升至 30-35 左右是敏感部位,2008 年有兩次較為典型的例子(見圖 3)。所以大市下跌的機會頗高,目前的市況可能是做對沖,由於市場早已有準備,故「黑天鵝」也就不一定飛得起來。

《期權 Long & Short》之進階篇

本港的期權市場目前仍然以看 IV 為主，市場的成交量比例和參與度無法與美國相提並論，所以筆者認為期權在本港仍有大量的開拓空間。

2010/12/03

VHSI 是值得在本港參與期權買賣的朋友關注的數據，這是 Row Data，而且不容易看，不是簡單地可以用這個指標看大市升跌。筆者的經驗是要綜合市場情緒作分析，還要發現異象，也就是同步現象。

請留意，恒生指數公司是指數提供者，而港交所是期貨發行人。略有筆誤，在此更正。

久盼的期權明燈──港版 VIX 指數

根據港交所的資料顯示，市場期待已久的香港 VIX 波幅指數終於會在 2011 年初登場，這是一個值得敲鑼打鼓的好消息，據聞這不單是一個指數，而且會產生相關的交易工具。我們不期望立即有大成交，但只要成交能穩步增長，特別是能給市場成交的透明度，再加上適當的推廣，估計該指數對本港衍生工具市場將會帶來革命性的影響。

此時此刻，世界級的對沖基金雲集香江兩岸，VIX 應該是他們習慣和喜歡使用的工具，我們可以預期港股一定會激起浪花。

港交所稱這是港版 VIX，是說明該指數會有本地化的安排（Local adaptation），會配合資金流顯示本港特色。這又是值得拍手叫好的具體細節，會令香港這個國際金融中心更具影響力。

VIX 運用在期權操作上頗為實用，特別是對一般投資者，若願意花多一點時間學習，有提升投資回報率的功效。筆者前幾年在《信報》也有幾篇文章講解使用芝加哥 VIX 的經驗，記得最精彩的一次是見 VIX 在高位徘徊數日並呈十字星時，Short Put 輕微價外下月期權，全收 1200 點期權金。當然，這不單是 VIX 處於高位可能要回落，還有是期權的引伸波幅（Implied Volatility）急漲後要收縮。香港的期權引伸波幅在交易系統十分容易獲得，若有港版 VIX 指數輔助，制定期權策略就更加有把握。

芝加哥的 VIX 指數在坊間稱為「恐慌指數」，在港被稱之為「恐慌與興奮的情緒指數」。此名稱是否準確見仁見智，關鍵是該指數的高低與股市基本成反比，指數高股市跌，指數低股市升，但有時又會走正比。但筆者傾向在考慮投機風險取向時採用 VIX 做參考，不論是看好還是看淡。

附圖見 VIX 近期的走勢，我們見 2010 年 10 月和 11 月指數在 20 以下達 18，但 18 並非意味低，只是偏低，因為 2007 年初 VIX 經常徘徊在 10 左右。在 VIX 偏低的市況下，市場的投資風險取向會偏向較為進取。所以我們見平保 /2318 跑贏中人壽 /2628，因為平保積極收購，擴充版圖，力圖產生最佳內在收益，而中人壽的主力還是在債券和現金。我們再看地產股，負債率頗高的富力地產 /2777 近期也是有不少捧場客，因為富力在淡風中積極投地，而且是夥同行家共同進行，可見其進取心之強盛。油股中的 883/ 中海油也是明顯跑贏同行中石油 /857 和中石化 /386，因為中海油積極向外擴張，收購海外石油資產。

《期權 Long & Short》之進階篇

（圖：VIX 近期日綫圖—2010/07 至 2010/11）

　　港版 VIX 出現在即，期權操作者應該開始多些留意芝加哥 VIX 的變動，屆時可作參考，因為港版 VIX 是採用芝加哥 VIX 的產權許可，使用方法應該是大同小異。若港版 VIX 推出時，會同時連帶一段時間的歷史數據，比如說指數在 2011 年 1 月推出，推出時，該指數已備有從 2010 年 1 月起的歷史數據，那將是 Amazing！若沒有，保守的方法是先觀察該指數在恒指上下波幅 1000 點以上時的變動，找到相關的規律再定策略。

2010/12/17

　　這是一篇非常經典的期權文章，也是期權教室上課講解 Short Call 時使用的，值得各位細讀。重點除了成交量之外，還有開倉的時間。筆者在期權教室講看倉位，其實就是看大戶或市場人士的觀點，作為散戶可以跟進。比如說大戶做 260，我們做 262 如何？大戶人家收 300 多點，我們第二天收 200 多點如何？這些數據就是 Raw Data，十分值得留意。

　　不過，這種倉似乎日漸少見，我們懂得原理便可，表現的形式雖然會不同，但機會總是會有的，一旦出現，我們就要懂得捕捉。

期權未平倉合約的形成與市場預期

　　期權未平倉合約的變動，俗稱期權盤路，應該是操作期權的專業人士或全職散戶（Serious amateur, i.e. Trade for a living）日常要做的功課。期權行使價倉位變動，除了要看倉位未平倉合約的加減，還要綜合周邊相關的數據進行整體分析，看誰是強方（不論好淡）以及強方對大市的觀點，努力令自己與強者為伍。要將這份功課做好，每日對即月、下月、季月的主要行使價之關注不可少，但這是一件辛苦的工作，所以筆者只能在期權教室每月做一次分析。從附表中可見一個倉位的大約形成過程，但該表只統計了 2000 張以上的成交和最高期權金的成交以及成交時間與周邊數據，從附圖中可見成交在時間上是如何配合恒指的走勢。筆者也開始將芝加哥 VIX 指數加入做參考，雖然筆者認為港股引伸波幅好用過芝加哥 VIX，但明年初恒生指數公司將推出港版 VIX，此乃做熱身之用。

　　表中可見，2010 年 12 月恒生指數 Call 的最大倉位從 10 月起就在 25000 建立，10 月 11 日 6120 張，倉位增 5257 張（7921 - 2664），基本上都是新開倉。其次是 10 月

《期權 Long & Short》之進階篇

22 日 12421 張，倉位增 4398 張（16063－11665），1/3 是新開倉。但最高期權金還是要看 11 月 5 日的 1338 張，期權金當日最高 780 點最低 702 點。筆者在《期權 Long & Short》書中提及，期權的主體結構應該是 Short 倉組成的，特別是大成交，其倉位是不會隨意變動的，組合中若有 Long 做跨價 Spread，也會是 Credit Spread，就是說收多過付，保持時間值在手的策略。但若是根據市況採用靈活多變的動態策略，隨時平倉再開倉的全職散戶，其做法可能要相反，此篇幅今後會詳細討論。

（圖：恒指近期日綫圖—2010/09 至 2010/12）

從 25000 Call 的成交看（見表），第一次大成交是在 10 月 11 日，升穿 4 月高位後第一次站在 23000 之上，第二次是在 10 月 22 日，大市在 23600 高位牛皮了數日，這兩次大成交都錄得未平倉合約正數，也就是以開新倉為主。筆者認為市場人士的開倉觀點是對大市的升勢持保留態度，看似主動沽盤，相隔 10 天，期權金也相若。不過，即使是

大戶,也不一定能每次準確預測大市,因為 25000 Call 的最高期權金在 11 月 5 日達 780 點,IV 也在最高位,相對之前的兩次大成交,獲利多一倍有餘。不過,25000 Call 在 12 月 15 日的期權金已是 5 - 15 點,也就是説任何時刻做的 Short Call 在此時此刻都有利潤。所以筆者強調要力爭做得好,不要追求多與少。

　　12 月 Call 的第二大倉是 26000,其形成更是有參考價值,雖然期權金高位是在 11 月 5 日,但 11 月 8 日恒指高見 24988 點,IV 也達 20,是此波升浪的頂,也就是説此大成交是站在最高位開倉,掌握時機之精準,實在令人佩服。提供該位 12 月 15 日的數據是給大家看期權金,因為成交因素,該位 IV 不具參考價值。

　　綜合兩個 Call 位的成交過程,我們可見,在高位或相對高位出現價外大成交,很可能是對大市持保留態度的反映。若各位認同,在附表中我們也可以看 Put,2011 年 2 月的 22000 和 21000 出現大成交在 12 月 10 日和 15 日,這兩天都是 12 月的低位,雖然 12 月 16 日再有新低,但遠期價外 Put 未見異動。《信報》篇幅有限,各位可以根據 Call 的方法自行分析。

2010 年 12 月恒指指數期權 25000 Call 的形成						
時間	成交量	期權金高低	引伸波幅	芝加哥 VIX	昨日未平倉 / 當日未平倉 / 變動	恒指當日高低
20101011	6120	310/254	19	18.91	2664/7921/+	23302/23151
20101013	1789	357/232	20	19.07	8745/10205/+	23471/23035
20101014	3275	490/380	19	18.78	10205/10992/+	23866/23614
20101022	12421	316/274	19	18.78	11665/16063/+	23667/23517
20101104	2898	615/490	21	18.54	16343/16892/+	24550/24345
20101105	1338	780/702	22	18.26	16892/16483/-	24931/24732
20101118	2019	232/162	21	18.75	16414/16078/-	23671/23327
20101201	2771	81/37	19	21.36	17186/18133/+	23325/22842
20101215	1415	15/5	17	17.94	18700/18205/-	23371/22876

2010 年 12 月恒指指數期權 26000 Call 的形成						
20101105	1961	402/356	21	18.26	5479/6151/+	24931/24732
20101108	6338	375/325	20	18.29	6151/11632/+	24988/24732
20101215	129	4/3	22	17.94	10575/10642/+	23371/22876

2011 年 2 月恒指指數期權 21000 Put 的形成						
20101210	4684	231/199	21	17.61	602/4437/+	23202/22965
20101215	3035	200/140	21	17.94	4427/7436/+	23371/22876

2011 年 2 月恒指指數期權 22000 Put 的形成						
20101210	2002	443/443	20	17.61	10/2012/+	23202/22965
20101215	1536	430/300	20	17.94	2027/3555/+	23371/22876

（表：2010 年 12 月及 2011 年 2 月恒指期權主要大倉位的形成細節）

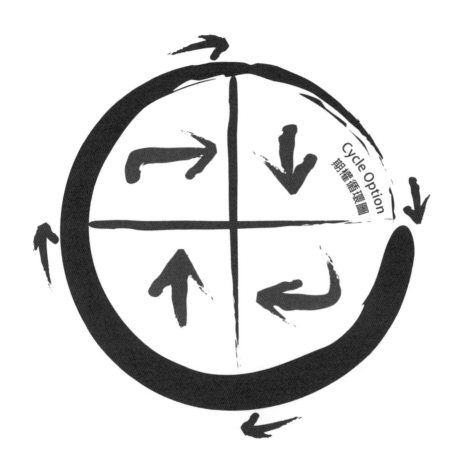

Cycle Option
期權循環圖

指數期權
2011

2011/01/14

對於期權的初學者，開 Condor 是不錯的選擇，但問題是如何提升回報。在期權教室講 Condor 是開一格 200 點，是最保守的做法。此篇文章是對有經驗者，所以建議在動態中做兩格，風險有限，回報提升。

市況趨混亂　動態做 Condor

去年，卸任不久的前金管局總裁任志剛在一個公開場合坦言，他從未見過金融市場目前如此之混亂現象。

市況如此，操作恒指期權的難度也在加大，由於 IV 偏低，只有 17-18，即使 Short 倉有利可圖，也是微薄。1 月傳統上是大波幅月，裸倉（單頭 Naked Short）更要小心。今天期權教室提供一組以恒指期權成交數據統計而成的「恒指期權量化值」（註：現時改用未平倉合約 OI 分析），上值和下值就是當日主要成交的行使價區域，希望能給各位朋友做分析時參考。指數期權的對沖核心就是 Long & Short，能加入期貨則是更高的境界。但若能將 Long & Short 做好，閣下的回報應該已是令人滿意。

我們分析如下，12 月的恒指收市在 23035，從保利佳通道看是處於中軸。1 月的期權量化上下值在月初見收窄，沒有明顯的方向。期權是波幅性產品，所以要看波幅，從月波幅計，1 月不論如何計算，波幅都會在千點以上，因此，在波幅收窄的狀態下，可以用 Long 開倉。但從整體大市看，應該看好多於看淡，所以開 Long Call 可選 24000，千點可達之位；開 Long Put 可選 22400 或 22600，下跌的首個支持位。然後在波幅變動之中用 Short 鎖定利潤，見升 Short Call，見跌 Short Put，保守者與進取者之別，也就是兩

格（400 點）起，三格（600 點）止，等於 Short Call（對 Long Call 24000）23800/ 一格 或 23600/ 兩格，Short Put（對 Long Put 22400）22600/ 一格 或 22800/ 兩格。一旦做成，大家可見，是一對鐵禿鷹（Iron-condor），只不過是在動態的狀況下製造。這就所謂期權策略，混亂之中動態用。

2011/02/11

　　研究波幅，對做指數期權非常重要，波幅有分年波幅和月波幅，一般情況下兩者都要熟悉。期權教室是 30-50 天的期權，也就是即月、下月、最多再下月。所以用年波幅是看遠景，用月波幅是定具體策略。這就是科斯托蘭尼講：開車時要望遠看近。

細心預波幅　擇位做指數

　　期權是帶有方向性的波幅性產品，若只作方向性用，似乎有些可惜，因為期權的精彩之處在其波幅性。若我們將時間值（Time value）、引伸波幅（Implied Volatility）和對沖值（Delta）這幾個主要因素搞清楚後，就要開始學習標的物波幅。

　　何謂學習波幅，簡單舉例：《信報》老曹預料 2011 年的金、股、匯市均會窄幅運行，認為恒生指數於 21000 點至 23000 點有支持，25000 點至 27000 點有阻力，所以 23000 以下分段買進，25000 以上分段沽出，這就是波幅觀點。若閣下認同，大可在 23000 的水平先行 Long Call 25200。若不想損失全部 Long 的期權金，可以根據個人的風險程度 Short 價外 Put 做多少補償。跟著就是耐心等待，當大市升穿 24000 後，出現一次單日大升市，升幅是近期高位，這樣引伸波幅會較明顯上升，閣下就可以即時開 Short Call

《期權 Long & Short》之進階篇

25000，市場矚目之位。即使大市升穿 25000，你也不必擔心，因為已有 25200 Long 保護。
這就是《期權 Long & Short》書中提及的「Long 在手 Short 風流」。25000 以上是減持區，
若成交大，出現十字星，可以 Long Put 22800，等待大市回落，做法如同 Call。這就是『期
權循環圖』的思維方法，先 Long 後 Short，安全開倉，動態做成鐵禿鷹（Iron-condor）。
當然，這個過程的時間值運用又是另一種技巧。

　　《信報》老曹是大師級，宏觀看一年的波幅，期權教室講的是 30 - 50 天的波幅可
能給期權帶來的機會。因此，我們可以將波幅收窄，參考每月的開市價以及每月的歷史
波幅。以 2011 年 2 月為例，近十年恒指 2 月份的平均波幅約 1200 點，我們可以先預
計 600 點上下波幅，等於恒指期權 6 格。恒指 2 月起步是 23450 點，向上看 3 格也就是
24000 點，向下看 3 格也即是 22800 點，若是單邊市，就要上看 24600，下看 22200 甚
至是 22000，根據不同的市況和月份調整，如此類推。

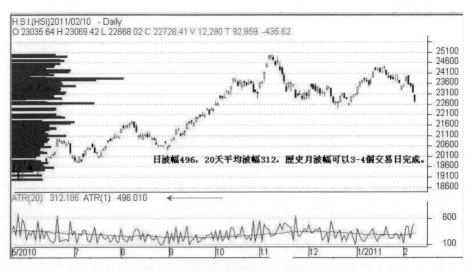

（圖：恒生指數 ATR/N 值從去年底開始上升）

筆者經常強調，香港市場參與者（Market participants）的結構（世界級對沖基金去年開始不斷落戶香港）和市場流行的衍生產品（恒指期貨和窩輪）決定了港股的波動性要比其他市場高——只有高波幅，參與者才有利可圖。因此香江兩岸是：無風三尺浪，有風浪更高。附圖可見恒生指數的 ATR/N 值從去年底開始上升，目前保持在 300 點左右的水平，估計還會繼續上升，也就是說 1200 點的波幅在一週內可以完成，這種市況，小心用動態做跨價（Spread），即使是捉到一日的波幅，利潤也會令人滿意。

2011/02/25

美股的 VIX 在香港變成 VHSI，此文只是在 VHSI 開始發佈時的初探文章，還有好文章在後頭。越是深入研究 VHSI，越是覺得知識不足，越是要學習。

新指數——恒指波幅指數（VHSI）初探

2010 年 12 月初，筆者在本欄有文章題為〈久盼的期權明燈——港版 VIX 指數〉，為本港即將有自己的 VIX 大聲叫好。該指數在 2011 年 2 月 21 日（本週一）推出，並附有從 2001 年 1 月開始的歷史數據，十分方便操作期權的朋友做分析時使用，是一個頗為有用的工具。高興之餘，筆者是進一步期待盡快見到有相關產品可提供買賣，活躍本港的期權市場。不過，筆者認為該產品的宣傳力度實在不足，坊間討論的人士鮮見，所以借此篇幅，告知做期權的朋友，可上恒生指數公司的網頁查看，網址：http://www.hsi.com.hk/HSI-Net/HSI-Net。該指數在 Bloomberg 和 Reuters 有圖可尋，今天筆者採用的是 Bloomberg 的 3 個月日線圖和 1 日分鐘圖，網址：http://www.bloomberg.com/apps/quote?ticker=VHSI:IND#chart 。

（圖 1：VHSI 近 3 個月的日線圖—2010/12 至 2011/02）

看恒指波幅指數 VHSI 和看芝加哥 VIX 指數，方法基本一樣，大原則就是股市跌，該
指數升；股市升，該指數跌。進階的分析，就是股市的升跌幅導致該指數的波幅。這都
是我們今後的話題。

H.S.I.(HSI)2011/02/24 - Daily
O 22902.31 H 23024.66 L 22661.41 C 22686.96 V 9,308 T
BOL(SIMPLE, 20, 2.0) 23298.2 24033.0 22563.3

（圖2：恒指日綫圖—2010/11 至 2011/02）

　　期權教室建議散戶主力做 30 - 50 天的期權，因為比較容易掌握，所以用 3 個月的 VHSI 和今年的恒指日綫圖做分析。從圖 1 中可見，近期的低位是 1 月 28 日，VHSI 16.19 ，恒指開 23763/ 高 23763/ 低 23580/ 收 23617。雖然恒指收在 23617，不算特別高位，但 VHSI 卻是在近期相對的低位。因為當時恒指處於保利佳的中軸略為偏下，期權教室的觀點是等待波幅出現才行動。若有 VHSI 參考，則可以建議小注淡倉。之後的一週，波幅出現，連跌四天，當時從圖表中看（圖 2 ），恒指在 22600 應該會是短線的支持，

《期權 Long & Short》之進階篇

等價引伸波幅也只是在 18 的水平,所以認為在接近該位時可以考慮開 Short Put 價外。有不少朋友在 2 月 10 日戰戰兢兢地開 Short Put,較為有經驗的朋友開 Short Put 4 月,行使價 21600,收期權金約 400 點。2 月 11 日跌穿 22600 時當然會有些緊張。但我們回看 VHSI,近期的高位是 2 月 10 日,VHSI 20.01,恒指開 23035/ 高 23069/ 低 22668/ 收 22708。可見靠近恒指的支持位,又是 VHSI 近期的高位,操作期權,可以擇位做好倉。筆者在《期權 Long & Short》書中認為 Buy and Hold 做股票,Buy and Sell 做期權,而且要常吃『半熟牛扒』。意思是指期權開倉後,不必持倉至該月結算,應該在中途見利就隨時平倉,所以 Short Put 收 400 點,在 200 點之時就 Long Put 平倉,這就是所謂吃『半熟牛扒』。

　　圖 3,見 2 月 24 日的 VHSI 也出現急升,最高達 21.97,恒指開 22856/ 高 23036/ 低 22575/ 收 22601。歷史似乎又在重複,這是否又到了可以擇位 Short Put 價外的時機,筆者的觀點是肯定的,因為如此跌幅看來不是非洲利比亞的外因,而是港股的內因:結算。

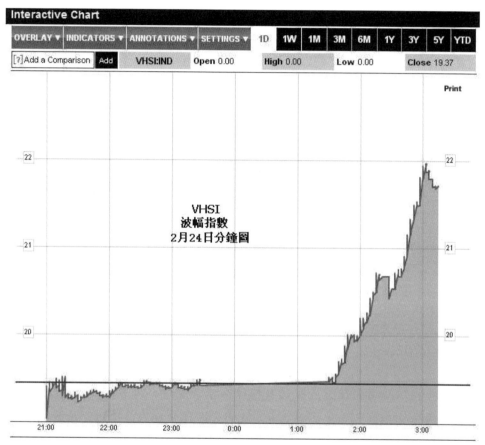

（圖 3：VHSI 即日分鐘圖—2011/02/24，註：時間標示為美國時區）

　　圖 3 也見 VHSI 的分鐘圖，對於做短線的朋友可能也頗有幫助，由於港股是一個波

動大多於平靜的市場，在 VHSI 平穩之時，就要做好突然拉升或突然下跌的準備。若是在

SP Trader 的平台操作期權，就是要事先輸入無效交易指示，見行情出現就立即執行有效。

從分鐘圖也見，恒指的日波幅在 300 點以上，VHSI 可以有 2.5 點的波動，若這是規律，

做短線的朋友也可以用 VHSI 預計波幅。

根據港交所每年一度的《現貨市場交易研究調查 2009/2010》所公佈的數據，本港證券市場的總交易額，外地投資者佔比達 46%，高於上一個年度，也是首次超越本地投資者，估計這將是趨勢。各位要心中有數：外地投資者越多，香港股市就越不可能平靜！筆者上篇文章也提及，此時此刻，世界級的對沖基金雲集香江兩岸，VIX 應該是他們習慣和喜歡使用的工具，我們可以預期港股定會激起浪花。我們見股海無風已是三尺浪，有風浪潮會更高。作為期權的操作者，在波幅面前應該是感覺興奮，因為只有波幅才能帶來利潤。

此篇幅乃恒指波幅指數 /VHSI 之初探文筆，筆者將繼續努力研究，觀察該指數上下波幅，看是否能找到實用的相關規律。若有心得和新得，一定再與各位分享。

2011/04/08

恒生指數公司對恒指波幅指數解釋得非常清晰，閣下可以在教室網頁＞指數期權實用網站＞恒指波幅指數（小冊子），找到相關資料，摘錄如下：

「（恒指波幅指數的）應用：

因為恒指波幅指數按照恒生指數預期波幅而變動，恒指波幅指數可讓市場參與者為其面對之風險作對沖。

由於恒指波幅指數與股票市場狀況一般呈逆向的相關性，所以可被用作對沖股票市場的潛在下跌風險；使其成為用以分散投資組合或透過交易所買

賣期貨及期權、基金或場外掉期以對沖短期波幅的一項有用的工具。」

　　詳細的文字值得各位上網細讀，但在此，筆者要提出的是非相關性的現象。

再探 VHSI 恒指波幅指數

　　本欄在去年 12 月和今年 2 月都有文章探討恒指波幅指數 VHSI，簡單而言，該 VHSI 指數與恒指的走勢是反向性質：恒指走高，VHSI 向下；恒指走低，VHSI 向上，大家可以粗略地比較兩者近期的走勢圖（見圖 1）。

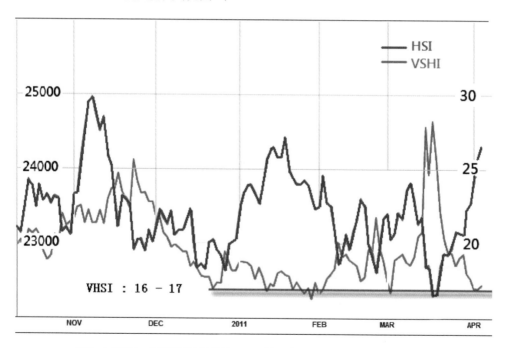

（圖 1：恒指 (HSI) 及恒指波幅指數 (VHSI) 的日綫比較圖—2010/10 至 2011/04）

《期權 Long & Short》之進階篇

　　如何運用 VHSI 於期權操作，筆者所指的是運用期權做短線買賣的投機獲利行為（不是運用期權做對沖買保險），VHSI 頗有幫助。短線買賣期權的首要事項是選擇低風險的時段進場，或在適當的時機製造低風險的獲利倉位。我們見 4 月 4 日恒指裂口高開 116 點（4 月 1 日收 23801，4 月 4 日開 23917），一舉升穿 24000 達 24150 收市，升幅達 349 點，成交也算配合，有 907 億。HSI 升 349 點，VHSI 如何表現呢？

日期	HSI			VHSI		
	前日收	當日收	升跌幅	前日收	當日收	升跌幅
20110321	22300	22685	+385	25.58	22.06	-3.52
20110330	23060	23451	+391	19.23	17.94	-1.29
20110404	23801	24150	+349	16.87	16.92	+0.05

（表 2：HSI 和 VHSI 升跌幅比較）

　　我們以近期恒指升幅有 300 點以上的日子分析（見表 2），大家可見，3 月 21 日的 385 點升幅，VHSI 下跌 3.52，十分正常。3 月 30 日的 391 點升幅，VHSI 雖然只下跌了 1.29，也算正常。但 4 月 4 日的 349 點升幅，VHSI 不單沒有下跌，反而有 0.05 的進賬，若看即日數據（見圖 3），當天最高曾達 17.48。也可以說是恒指走勢與恒指波幅指數開始有背馳現象。再看 4 月 6 日，大成交 1044 億，升 134 點，VHSI 繼續靠穩，略有升幅（見圖 4）。

	名稱	時間	成交值	升跌$	升跌%	開市值	最高	最低	昨收價
VHSI	恆指波幅指數		16.92	+0.05	+0.30	17.28	17.48	16.89	16.87
HSI	恆生指數		24150.58	+348.68	+1.46	23917.01	24164.37	23917.01	23801.90

（圖 3：HSI 和 VHSI—2011/04/04）

	名稱	時間	成交值	升跌$	升跌%	開市值	最高	最低	昨收價
VHSI	恆指波幅指數		17.15	+0.23	+1.36	17.13	17.33	16.96	16.92
HSI	恆生指數		24285.05	+134.47	+0.56	24182.83	24322.26	24102.60	24150.58

（圖 4：HSI 和 VHSI—2011/04/06）

　　我們再看 4 月 4 日的期權市場反映（見圖 5），我們以恒生指數 14 天的平均波幅值是 329 點計（這稱之為 ATR/N 值，按海龜投資法，2-3 個 N 值是可達區域，4 個 N 值是難達區域），指數期權成交數量比前些日子大增，在期權的成交分佈中，Call 的成交與 Put 的成交相比，Call 明顯多於 Put，而且 Call 較為集中，在 4 個 N 值的 25200 以上也有 2209 張成交，不像 Put 是分散在各個行使價。

CALL OPTION		Center	PUT OPTION	
OpenInt	Volume	Strike	Volume	OpenInt
83.899K	71.27K	HSIJ1		
54		21800	915	2.64K
54	4	22000	1.373K	4.8K
1.085K	1	22200	809	1.679K
558	4	22400	812	3.72K
980	13	22600	1.287K	2.001K
1.117K	14	22800	699	2.386K
1.981K	56	23000	1.65K	3.734K
1.113K	69	23200	1.87K	1.362K
2.668K	232	23400	689	1.387K
1.506K	201	23600	1.589K	1.22K
2.368K	197	23800	1.01K	458
5.124K	1.208K	24000	718	166
2.024K	1.174K	24200	706	19
2.217K	1.684K	24400	53	24
2.642K	2.651K	24600	11	41
4.703K	3.832K	24800	3	33
4.936K	2.423K	25000	3	11
1.659K	2.209K	25200		
1.547K	1.441K	25400	2	
519	649	25600		

（圖 5：恒指即月期權市場成交—2011/04/04）

　　市場在任何情況下都會有好淡之分，當 VHSI 處於 16-17 時，以近期計，30-50 天短線應該是屬於低位（見圖 1），在某種意義上也是恒生指數的高位。在此時此刻 VHSI 與恒指走勢出現背馳，期權市場的具體成交也可獲得，若用這種數據條件做分析，筆者認為可以是期權開淡倉的時機。作為保守的投機者，應該先開 Long Put，在確定跌勢時才開 Short Call。當然，若閣下要確保不失，可以來一招「孔明借箭」，也就是 Short 4 個 N 值以外的 Call，再用收取的期權金 Long Put。

　　若閣下在 4 月 4 日如此開倉，在未來回調的日子開 Short Put 和 Long Call，鎖定利潤和風險，本月的鐵禿鷹 /Iron-Condor 完成，該月的收穫應該又可以感謝主，閣下可以慢慢吃時間值，享受與時間拍拖的樂趣。

　　但我們必須認識到期權短線買賣是投機行為，投機就是有風險的，作為一般散戶，我們只是盡可能選擇較低風險的進場時機，以防萬一，在這個過程中，恒指波幅指數 VHSI 很可能是我們的好幫手。

2011/05/06

　　這篇是期權教室堂上的經典文章，建議做指數期權的朋友細讀此文，閣下一定有收穫！

Long 在手　Short 風流

　　「Long 在手，Short 風流」，這是筆者多年來在期權教室上課時講解期權策略的一句話，此句話容易入耳，是因為一直以來中年男士是期權教室的主要聽眾。其實，該句口語人人皆宜。筆者在《期權 Long & Short》一書中已説明先 Long 後 Short 的重要性，當然，懂得控制風險的操作者，也可以先 Short 後 Long。不過，先 Long 後 Short 的獲利一般都比先 Short 後 Long 的為高。在此，我們用剛過去的 4 月期權為實例做分析，3 張圖都是 4 月 26 日的數據，可以看看 Long 在手，Short 可以風流到什麼程度。

CLOSED POSITION 平倉合約

Trade Date 交易日	Trade Ref. 合約編號	No of Lots Buy 買	No of Lots Sell 沽	Trade Price 交易價	Description 合約內容	Sett. CCY 貨幣	Gross Profit/Loss 交易盈/虧
22/03/11	040163	1		99	HSI APR 2011 24200 CALL		
21/04/11	047423		1	138	HSI APR 2011 24200 CALL	HKD	1,950.00
19/04/11	046970	1		48	HSI APR 2011 24000 CALL ⟵		
21/04/11	047424		1	248	HSI APR 2011 24000 CALL ⟵	HKD	10,000.00
19/04/11	046971	1		48	HSI APR 2011 24000 CALL ⟵		
21/04/11	047425		1	248	HSI APR 2011 24000 CALL ⟵	HKD	10,000.00
18/04/11	046509		1	186	HSI APR 2011 23600 PUT		
21/04/11	047432	1		33	HSI APR 2011 23600 PUT	HKD	7,650.00
19/04/11	046797		1	76	HSI MAY 2011 21200 PUT		
21/04/11	047462	1		27	HSI MAY 2011 21200 PUT	HKD	2,450.00
19/04/11	046943		1	68	HSI MAY 2011 21200 PUT		
21/04/11	047463	1		27	HSI MAY 2011 21200 PUT	HKD	2,050.00
		6	6		Total Profit / (Loss) 總盈/虧:	HKD	34,100.00

（圖 1：月尾 Long 交易單據—2011/04/19-21）

CONFIRMATION / DAILY STATEMENT OF ACCOUNT
買賣成交及賬戶日結單

OPEN POSITIONS 未平倉合約

Trade Date 交易日	Trade Ref. 合約編號	No of Lots Buy 買	No of Lots Sell 沽	Trade Price 交易價	Description 合約內容	Closing Price 收市價	Sett. CCY 貨幣	Floating Profit/Loss 浮動盈/虧
21/04/11	047429		1	248	HSI APR 2011 24000 CALL ⟵	236	HKD	600.0
19/04/11	046976	1		24	HSI APR 2011 24200 CALL ⟵	134	HKD	5,500.0
14/04/11	045559		1	30	HSI APR 2011 25000 CALL	11	HKD	950.0

（圖 2：月尾 Spread 交易單據—2011/04/19-21）

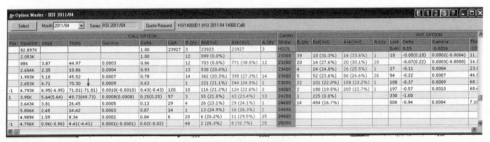

（圖 3：期權月尾 Theta 值損耗大）

筆者做過許多比較，但始終認為，期權操作必須要有觀點，同時又要帶有多方位思維的能力，這才稱得上完美操作。若只是用方向性做，完全可行，但未必能做到在獲利的同時又能享受到操作期權的樂趣。所謂多方位思維，就是要將天時地利人和進行綜合運用，讓期權的各主要條件和因素體現在我們的操作中。

從圖 1 可見，4 月 19 日開倉 Long Call 即月 24000 付 48 點 ×2 張。該日是大跌市，因為標普出來陳腔濫調，說三道四，十分多餘。因為若評級機構有如此本事，堂堂中國銀行正門前就不會至今還有人在為雷曼大奏輓歌，影響香港金融中心的形象。所以，觀點看好，部署開始。從時間計算，4 月的結算是 28 日，除去假期，只有 4 天半，等於提前進入月尾 Long。從選擇行使價看，4 月起步是 23664 點，整個月都是處於升市中，港股不應該因為標普的廢話而領旨下跌，若能在 24000 點結算，也不過不失，所以鎖定 24000。從月尾 Long 的成本看，筆者在書中的建議是 30-50 月尾 Long，付 48 點期權金，正好符合。從倉位張數看，4 月已有利潤數百點，若損失 100 點，無傷大雅，所以做 2 張。

以上就是運用帶有觀點的，又有多方位思維的操作行為。

部署妥當，帶著利潤減少 100 點的心情等待結果。機會來臨，筆者在書中也曾經提及，進場是徒弟，離場是師傅。當自己的操作基本都符合預期的時刻，不妨自信些，20 日雖然已是裂口高開上升，但離目標 24000 點還略有距離，所以可以再等多一天，假期前才作定論。21 日恒指再裂口高開做升市，大市升穿 24000 點，Long 到位，所以以 248 點平倉。不要以為每張 200 點（248－48）純利豐厚，因為該日最高達 290 點。但筆者認為，有目標的獲利就是最佳獲利。

從圖 2 可見，持倉還有一張 Short 24000 Call 也是收 248 點，配對的是 Long 24200

Call 19 日付 24 點。可以看出，該張收 248 的 Short Call 是與前兩張的平倉盤同時做的，這是一張頗為風流的 Short，因為利潤豐厚加零風險。利潤豐厚是有機會賺盡 248 點，因為若平 24200 Call 最多也只能賺百多點，而 24200 的 24 點期權金可在 25000 的 Short Call 收回，又由於收取的期權金超過 200 點，行使價間隔一格 200 點，原則上是屬於無風險的 Long & Short，這就是風流之處。這種倉位，最好還是平平安安過結算，因為 24000 Call 月尾時段每天時間值的損耗有 71 點，大家可見圖 3 的 Theta，所以一動不如一靜，若本月利潤已是要感謝主，應該首選自由自在。不過，若閣下認為自己是風流人物，滑浪高手，時間大把，則可以在假期後，在低位平 Short（只能平 Short 不能平 Long），高位再開，該位期權金 4 月 26 日最高 188，最低 68，4 月 27 日最高 310，最低 30，閣下可以再來一回，將這張風流 Short 用到盡！

最後，想講什麼人適合做，或什麼人有資格做：筆者的觀點是本月已有利潤在手的人士，用部分利潤做，博取更大的成績，但決不會因這種損失而心痛的人。本月沒有利潤，或本月操作有虧損的人士不適合做，或者説沒資格做，因為這是在等價區的操作，價格上下可以很快，以部分利潤為本進場，操作心態已佔上風，贏面才高。

2011/05/20

倉位分析是操作指數期權的基本功，但也是最難練的功夫，筆者在此只是分享心得，各位應該練出好本領，青出於藍。

期權操作的 Row Data 和 Raw Data

〈Row Data and Raw Data〉是筆者在《期權 Long & Short》書中的一篇短文，所謂 Row Data 是指大多數都是橫向看的技術指標，期權教室常用的有四種：Bollinger Band/ 保利佳通道，MACD/ 指數平滑移動平均線聚散值，RSI/ 相對強弱指數，Stochastic/ 隨機 指數。技術指標還有許許多多，可以令閣下目不暇給，由於都是橫向看，所以筆者稱 Row Data，坊間也稱之為「千層糕」。這些技術指標的共同點是經過統計後的數據，筆 者認為是加工後的指標，而且不含時間概念。Raw Data 是筆者較為關注的指標，具體 是：Candlestick/ 陰陽燭圖，OHLC/ 開高低收，Volume/ 成交量，Volatility/ 波幅，Open Interests/ 未平倉合約，期權專用的還有：Implied Volatility/ 引伸波幅，Delta/ 對沖值，等 等。筆者建議更要關注 Raw Data，原因是這些數據都是期權市場買賣行為產生的，成熟 的參與人士在做期權買賣時，除了考慮風險外，一定會考慮時間值，所以 Raw Data 本身 會含有時間值的考慮因素。這些都是沒有經過統計加工的市場數據，所以筆者稱為 Raw Data，如何用自己的知識和經驗去做分析，定判斷，在運用中獲利，這是有挑戰性的， 但也是操作期權的意義和樂趣所在。

Raw Data 中未平倉合約是較難掌握的，看倉位變動要分看月份，看不同行使價，而 且倉位的變動是隨時的，也就是說最大倉位可以隨時變小，小倉位也可以隨時變大，細 心觀察，頗費精力。另外，期權可 Long 可 Short，如期指有博弈的成分，但期權是莊家制， 大手成交背後說不定有莊家的功能，不一定完全是市場對手，而莊家的獲利又是另一種 規則。所以我們不得不從多維（Multi-dimensional thinking）的思考方法做分析，最基本 的就是要參照指數變化。

《期權 Long & Short》之進階篇

　　我們以 5 月的 Call 24000 和 Put 22000 為例，這兩個倉位最高時都達 4 - 5 千張左右，成為本月大倉，但 4 - 5 千張的月倉數字在整體恒指期權的倉位中實屬偏低的水平。雖然在偏低的水平，但成交相對未平倉合約則十分活躍。圖表中大家可見這兩個倉的形成，並可參考 1000 張以上的大成交數據（Raw Data 的其它數值會在適當的市況與大家分享）。

| 恒生指數期權 5 月認購行使價 24000 本月主要數據 | | | | |
成交日期	成交量	期權金高 / 低	昨日未平倉 / 當日未平倉	恒生指數高 / 低
20110415	580	582/448	1203/1422	24236/23902
20110419	1003	305/242	1427/1687	23654/23468
20110428	1072	485/300	1774/2086	24132/23761
20110503	1079	325/185	2224/2298	23924/23599
20110504	2907	176/100	2298/3468	23582/23230
20110505	1300	109/75	3468/3550	23348/23167
20110509	1038	93/68	3758/3786	23392/23239
20110511	2010	120/59	3786/3866	23509/23233
20110513	2252	85/21	3976/4397	23295/22888
20110518	951	23/15	4369/4673	23057/22924

| 恒生指數期權 5 月認沽行使價 22000 本月主要數據 | | | | |
成交日期	成交量	期權金高 / 低	昨日未平倉 / 當日未平倉	恒生指數高 / 低
20110420	922	119/87	817/1228	23904/23682
20110429	2325	83/62	1857/2848	23808/23633
20110504	1305	102/60	3051/3560	23582/23230
20110506	1105	111/73	3919/4245	23207/22985
20010512	1208	78/52	4552/4546	23128/22985
20110513	1556	76/27	4546/4541	23295/22888
20110516	1768	79/42	4541/4844	23134/22927
20110517	1341	85/50	4844/5102	22967/22768
20110518	1076	45/28	5102/4910	23057/22924

（表：2011 年 5 月恒指期權主要大倉位的形成細節）

5 月 24000 Call 一直是 5 月的最大倉，我們先看倉位形成，該倉較矚目的是 4 月 15 日的 580 張，期權金 582/448，相對成交，未平倉增幅近半。隨後的日子，成交不斷增加，指數不斷下滑，未平倉不斷上升，期權金也是不斷下降。大家可留意 5 月 11 日的 2010 張，恒指從高位大幅回落，成交大增，但倉位只增 80，說明平倉和開新倉的人士相若，或者可以認為是持有舊倉的人士在平倉的同時開新倉，比如說平先前的 Short Call，同時反手開 Long Call。5 月 13 日成交達 2252 張，倉位增 421 張，說明開新倉人士多於平倉，不過當天恒指是從低位大反彈，炒味甚濃，即日鮮的成分甚高，因為市場人士都擔心反彈乏力會輸時間值，也正是因為成交大，倉位增幅不大，我們就不能將上升的動力看得過強。

5 月 22000 Put 也是一樣，一直是 5 月的最大倉位，各位可參照 Call 的方法看 Put。要留意的是恒指在 22800 − 23000 點徘徊，22000 Put 的成交也算活躍，但未平倉合約則變化不大，也說明市場人士並非看得很淡。本月開市 23794，高見 23924，低見 22768，至今波幅 1156 點，偏低，頗為沉悶。可是綜合以上兩個倉位看，在 4 月中的適當時機做 30-50 天的期權，開 Short 贏面最高。所以說，操作期權，若閣下滿意每月 2-3%，是有把握的，加點運氣，開紅酒的機會也常在。

2011/07/15

　　月尾 Long 是頗有趣的操作方法，可是用文字可能表達得不清晰，但此篇文章是盡可能詳細地介紹具體操作，閣下細心閱讀，應該有收穫。

指數期權 30/50 月尾 Long 之保本策略

　　所謂〈30/50 月尾 Long〉這是本人《期權 Long & Short》書中的一篇文章，主要是講解利用月尾時，即月指數期權的時間值已大幅收縮，若好淡雙方在結算期要比拼，就會有一個給我們投機獲利的機會。具體就是用 30-50 點的期權金，Long 盡可能接近等價（ATM）的期權。方向對，只要一兩天內有 300 點以上的波幅，獲厚利的機會頗高；方向錯，最大損失就是 30-50 點期權金。但這種機會並不是每月都有，有時是即使做對方向，但沒波幅，或波幅不夠，也會損失全部期權金。因此，在有目標觀點的情況下，可以採用先 Long 後 Short，回收期權金的保本策略，令倉位處於打和狀態，等待結算。

　　6 月份是 2011 年波幅較大的一個月，從開市 23686 點計，最高見 23706 點，最低見 21508 點，跌幅有 2198 點，全月都是跌勢。這種市況，月底應該有所反彈。有了觀點，就要小心部署。首先看大倉位，6 月 Put 的大倉在 22000，最高時達 10294 張（6 月 14 日），大市下跌，有減倉現象，但時至月底仍保持 7 千張以上，動態地觀察，相對其它倉位，仍處絕對大倉。因此，可以作為反彈目標。所謂目標，就是預期結算不會跌穿 22000 點。

　　看圖 1（20110624），6 月 24 日是升市，離結算還有 3 個交易日，從圖表看大市有擺脫跌勢的跡象，反彈的機會頗高。既然有目標，就可以考慮 Long Call 21800 + Short Call 22000 的基本策略，由於近價 L21800/S22000 的期權金未必能全部回收（Debit

Spread），所以要再開 Short Call 22600 ＋ Long Call 22800（Credit Spread），用價外 Call 幫補多少。具體成本是 Long（21800/279 點＋ 22800/10 點，共 289 點） - Short（22000/240 點＋ 22600/30 點，共 270 點）＝ 19 點。

預計是，若結算高於 22000，贏盡 21800 Call 在 22000 的內在值（Intrinsic value），該內在值有 200 點，減去 19 點成本，即賺 181 點。若低於此，則損失 19 點期權金，符合月尾 Long 的原則。但此策略也有弱點，就是結算大幅高於 22000 點時，局限了利潤空間。

看圖 2（20110629），6 月 29 日結算日，大局已定。即月期指最後成交價是 22116（編按：最後結算價是 22117），21800 Call 應該值 316 點，22000 Call 應該值 116 點（報價畫面只記錄期權最後成交價），都有內在值。對沖之下，可見有 200 點的賬面利潤。22600 Call 和 22800 Call 沒有內在值，利潤（Credit Spread）全收。若不用保本策略，直接以 Long Call 21800 獲利，也可，利潤 37 點（316 - 279）。

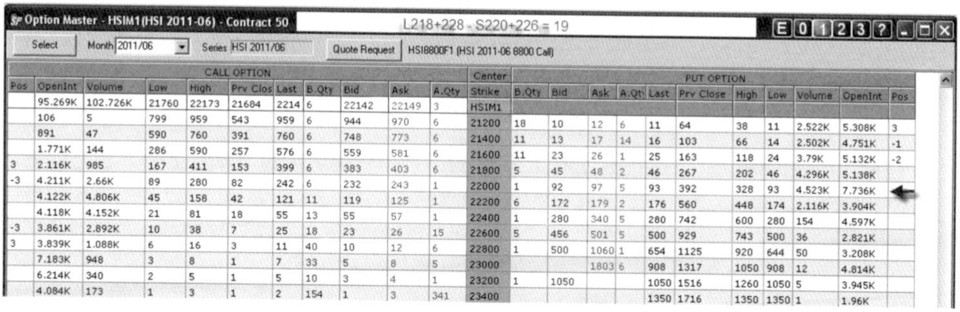

CALL OPTION											Center	PUT OPTION										
Pos	OpenInt	Volume	Low	High	Prv Clos	Last	B.Qty	Bid	Ask	A.Qty	Strike	B.Qty	Bid	Ask	A.Qt	Last	Prv Close	High	Low	Volume	OpenInt	Pos
	95.269K	102.726K	21760	22173	21684	2214	6	22142	22149	3	HSIM1											
	106	5	799	959	543	959	6	944	970	6	21200	18	10	12	6	11	64	38	11	2.522K	5.308K	3
	891	47	590	760	391	760	6	748	773	6	21400	11	13	17	14	16	103	66	14	2.502K	4.751K	-1
	1.771K	144	286	590	257	576	6	559	581	6	21600	11	23	26	1	25	163	118	24	3.79K	5.132K	-2
3	2.116K	985	167	411	153	399	6	383	403	6	21800	5	45	48	2	46	267	202	46	4.296K	5.138K	
-3	4.211K	2.66K	89	280	82	242	6	232	243	1	22000	1	92	97	5	93	392	328	93	4.523K	7.736K	
	4.122K	4.806K	45	158	42	121	11	119	125	1	22200	6	172	179	2	176	560	448	174	2.116K	3.904K	
	4.118K	4.152K	21	81	18	55	13	55	57	1	22400	1	280	340	5	280	742	600	280	154	4.597K	
-3	3.861K	2.892K	10	38	7	25	18	23	26	15	22600	5	456	501	5	500	929	743	500	36	2.821K	
3	3.839K	1.088K	6	16	3	11	40	10	12	6	22800	1	500	1060	1	654	1125	920	644	50	3.208K	
	7.183K	948	3	8	1	7	33	5	8	5	23000			1803	6	908	1317	1050	908	12	4.814K	
	6.214K	340	2	5	1	5	10	3	4	1	23200	1	1050			1050	1516	1260	1050	5	3.945K	
	4.084K	173	1	3	1	2	154	1	3	341	23400					1350	1716	1350	1350	1	1.96K	

（圖 1：恒指期權成交記錄—2011/06/24）

Pos	OpenInt	Volume	Low	High	Prv Close	Last	B.Qty	Bid	Ask	A.Qty	Center Strike	B.Qty	Bid	Ask	A.Qty	Last	Prv Close	High	Low	Volume	OpenInt	Pos
	36.749K	15.591K	22104	22279	21993	22116	119	22116	22117	89	HSIM1											
	104				796						21200		1	603	1	3	1	1		38	5.706K	3
	799	11	720	770	593	720	1	270			21400		1	479	1	6	1	1		71	4.302K	-1
	1.621K	1	545	545	417	545	1	430	550	1	21600		1	270	1	16	1	1		222	4.838K	-2
3	1.778K	65	310	460	227	310	1	313	328	5	21800		1	293	1	39	1	1		545	4.702K	
-3	4.799K	304	110	275	93	115	1	115	124	10	22000		1	354	1	101	10	1		1.578K	7.285K	
	6K	3.142K	1	94	28	1			1	380	22200	11	82	85	1	85	230	95	17	1.883K	5.228K	
	5.193K	1.351K	1	11	6	1			1	783	22400	3	280	298	1	280	413	290	148	96	4.496K	
-3	4.21K	153	1	1	1			1	241		22600	1	480			484	608	490	350	57	2.786K	
3	4.085K	18	1	1	1			1	529		22800	1	651	848	1	693	807	694	632	13	3.187K	
	7.2K	37	1	1	1			1	349		23000	1	850			860	1007	870	750	64	4.781K	
	6.32K	14	1	1	1			1	546		23200					1090	1207	1090	960	7	3.943K	

（圖 2：恒指期權成交記錄—2011/06/29 結算日）

其實，成本 19 點也已回收，因為結算前有兩天是跌市，有 3 張 Short Call 在手，利潤甚豐，所以可以先平 1 張，最壞的打算是賺少了這張的錢，也是符合月尾 Long 的原則。但當市況回升，可以又在原位開倉回補。因為在靠近 ATM 區域操作期權，若策略對，可以做得十分輕鬆。目標利潤是 60 點，用於補償 3 張 19 點的成本，也就是說只要能在結算前捕捉到 150 點的波幅即可。因為 ATM 的 Delta = 0.5，輕微價外的也有 0.4，150×0.4 = 60，是該 ATM 期權可達的獲利目標。此策略和操作方法令這 3 張月尾 Long 變成零成本的打和格局，所以稱之為保本策略。

在此，也要提醒一句，這種方法在大波幅的市況下，成功機會才高。另外，若方向對，波幅大，直接用 Long 獲利要比保本策略更勝一籌。

2011/09/09

筆者經常強調，期權與任何金融產品一樣有方向性，但期權的本質是波幅性，我們研究期權就要放多些時間在波幅。波幅指標不多，但每個都十分重要，相互之間也不會有對抗性，值得各位學習。

VHSI 和 IV 是期權操作者必須明白的數據，因為這是期權專用的語言，我們必須聽得明白，看得明白，操作時才能得心應手。

VHSI 和 IV 處於大幅波動時的期權策略

金融市場進入亂象時期，許多過去書本上的金融知識，經濟理論似乎都難以解釋目前市況，更何況要做分析成為進出市場的依據。不過，作為期權操作者，筆者認為採用期權成交得來的數據制成策略，再運用到期權買賣，可能更為簡單有效！

香港的恒指波幅指數 /VHSI（HSI Volatility Index）是 2011 年 2 月面世的，整體的計算模式是以美國芝加哥期權交易所（CBOE）的 VIX 為藍本，含有相當比例的期權成分，只是選擇價外期權行使價略有調整，並加入本港資金流的特色。與北美人士看 VIX 相同，多數是在預計未來 30 天的波幅時，做參考指標。

期權的引伸波幅 /IV（Implied Volatility）是期權買賣過程中即時產生的數據，有成交才會出現，所以每個行使價的引伸波幅都不同。做 IV 分析，市場人士大多數都是以等價期權為準。由於引伸波幅是即時的成交數據，同一個行使價在一天的交易時段內可以有頗大的變化，要運用得宜，實不容易。

我們對這兩個波幅數據略有認知後，若再仔細比較，閣下會認為：相對 VHSI，IV 是

《期權 Long & Short》之進階篇

短線快捕，是 Trader 實戰的場所，閣下必需面對屏幕，見機行事，業餘人士（有正職在身）難以在此發揮。但業餘人士可以在 VHSI 做功課，部署自己中長線的期權策略，成績一樣可以令人滿意。

圖表中可見，VHSI 在 8 月 9 日急升，達 58.61，是該指數面世以來的最高水平，有參考意義。更突出的是當天 IV 大比例超越 VHSI（IV 65 vs VHSI 58.61），因為在一般情況下，IV 是即時反映，應該是與 VHSI 相若或略低，因為 VHSI 的成分有價外行使價，IV 會偏高，而等價 IV 一般都是最低的。若出現 IV 高於 VHSI，說明超買嚴重，或者是出現斬倉盤（Force Liquidation），這是反常現象，但也正是操作期權的機會。

若我們比較 19400 Put 期權金的變化，我們可見 8 月 9 日該行使價是等價，收市期權金是 1201 點，但在 8 月 12 日也是等價，可是該期權金收市只剩 600 點。影響期權金的並不是那 3 天的時間值，而是 IV，因為 IV 從 65 急速收縮到 38，回到與 VHSI 相若的正常水平。

從 Trader 的角度看，8 月 9 日的 IV 收 65，可能在交易時段還出現過更高的數據，而期權金的波動也是令人目不暇接。當日 19400 Put 開 1240 點，最高 1490 點，最低 594 點，收 1201 點，日波幅有 2.5 倍或高低差有 896 點（1490 - 594）。若以交易時段的 IV 與 VHSI 比較，制定進出策略做即日等價，先 Long 後 Short 平倉或先 Short 後 Long 平倉，都會有收穫。

從業餘人士的角度看，在發覺出現反常現象時，開倉做任何價外 Short Put 賺時間值，回報應該都不俗。即使是做一張等價 19400，風險也是有限，因為按收市價計期權金可收 1201 點，閣下的打和點是在 18200 點（19400 - 1201），也就是説 8 月的結算價要

低於 18200 閣下才會有損失，屆時搬倉也有時間。由於值博率甚高，若資金足，同時開出其他月份的 Short Put，就可以完成全年的盈利目標。

總結 8 月的經驗，我們可以說在 VHSI 和 IV 急升的市況下，往往是做即日（Intraday）或開 Short Put 倉的好時機。此 Short Put 倉的策略不單是賺時間值，還要賺 IV，因此平倉的時間可以看 IV 的變化，不必理會要持倉多久。

雖然這些都是頗具技巧的期權策略，但不是對沖，風險偏高，請各位留意。

日期	VHSI 恒指波幅 指數高 / 低	期指收市 / 等價期權 / 引伸波幅	8 月 19400Put 期權金高 / 低 / 收
20110729	21.64/20.15	22235/22200/--	
20110802	19.89/18.94	22309/22400/18	
20110804	21.81/20.03	21615/21600/20	
20110805	38.36/26.24	20650/20600/33	479/141/322
20110808	41.41/33.58	20294/20200/35	601/320/394
20110809	58.61/35.93	19315/19400/65	1490/594/1201
20110812	38.64/33.94	19441/19400/38	626/412/600
20110817	30.98/29.71	20061/20000/27	195/120/188
20110818	31.82/28.49	19834/19800/28	242/133/229
20110822	40.67/37.01	19383/19400/34	642/324/348
20110824	42.66/34.57	19313/19400/36	357/136/350
20110829	36.87/33.25	19729/19800/34	
20110901	30.55/25.54	20401/20400/27	

（表：VHSI、恒指期貨、恒指期權引伸波幅及 8 月 19400 Put 的比較）

2011/11/04

　　做分析是件苦差事，做期權分析更是苦上加苦，因為期權不是市場的主流產品，許多期權數據不是如主流產品般能隨處可見，數據收集本身就是功夫，有了數據才能分析，分析都是表面現象，但內裡就是功夫，只有親身體會才有感覺。

　　筆者整理過往的文章，回想起付出的辛勞，實在是得失彈指一揮間！各位讀者若有收獲，請鼓掌！

期權成交與波幅高低

　　10 月 27 日，結算前一天，恒指在歐盟以萬億歐羅資金救債市的熱烈氣氛下大升 690 點（19740 點－19050 點），而恒指期權成交量更是倍增（見圖 1），是今年至今最大的單日成交，若是以 Long Call 進場，利潤基本上都是以倍計。雖然這些都是市場的投機行為，但這種特別的現象也給我們做分析提供依據。回看歷史，恒指期權有如此大成交的日子是在 2008 年 10 月 28 日（見圖 2），也是在結算前兩天，用 Long Call 進場利潤也是以倍計，成交也是當年之最。歷史就是如此相似。

| 認購期權 | | | | | | | | | | | 盤中 | 認沽期權 | | | | | | | | | | |
持倉	未平倉	總成交量	最低	最高	前收市	成交	買入量	買入	沽出	沽出量	行使價	買入量	買入	沽出	沽出量	成交	前收市	最高	最低	總成交量	未平倉	持倉
	54.671K	117.785K	18973	19775	19774	19774	1		19761	19774	HSIV1											
	2.317K	125	559	1180	1180	1180	1		635		18600	4	3	7	1	4	2	60	4	1.743K	2.078K	
	2.741K	698	290	970	978	955	1		965		18800	2	5	9	2	10	4	112	7	3.013K	1.357K	
	4.389K	1.444K	168	780	780	780	1	680	791	1	19000	7	11	12	1	12	10	188	10	4.609K	3.834K	
	2.609K	2.288K	88	579	579	579	1	571	622	1	19200	1	15	24	2	20	21	277	14	3.464K	793	
	3.785K	4.858K	45	400	410	400	1	405	430	3	19400	1	36	43	10	43	47	338	38	4.202K	2.098K	
→	2.626K	6.939K	21	270	270	270	10	220	270	2	19600	25	91	96	2	96	96	566	88	2.233K	1.347K	
→	2.656K	5.395K	11	150	147	145	1	144	150	1	19800		173	185	5	198	183	498	180	97	571	
→	2.518K	4.098K	7	81	77	80	2	79	90	10	20000					313	310	795	313	12	769	
	4.765K	2.684K	4	34	32	32	1	32	33	8	20200			738	1	773	471	880	758	11	4.985K	
	1.026K	1.043K	5	19	11	17	1	16	19	2	20400						656				444	
	1.214K	313	3	12	3	8	1	4	8	1	20600					1000	854	1000	1000	2	275	

（圖 1：恒指期權成交記錄—2011/10/27）

	CALL OPTION								Center	PUT OPTION								
Pos	Volume	Low	High	Last	B.Qty	Bid	Ask	A.Qty	Strike	B.Qty	Bid	Ask	A.Qty	Last	High	Low	Volume	Pos
	161.567K	11101	12642	12446	5	12446	12471	1	HSIV8									
	148	330	1290	1200					11400	10	150	160	1	160	660	135	438	
	135	250	1209	1209					11600			235	1	205	621	171	167	
	148	180	974	974					11800			350	1	280	900	180	126	
→	3.35K	131	845	832	4	300	999	9	12000	10	290	800	1	309	1050	270	287	
	217	90	714	714	500	50	999	12	12200					390	935	105		
	696	64	620	520	1	300	999	20	12400					472	1400	440	126	
→	7.485K	45	520	407	1	350	448	12	12600					530	1333	510	41	
	263	28	410	350	1	322	666	25	12800					675	1450	675	37	
	858	20	331	260	1	257	350	2	13000					750	1800	700	78	
→	3.355K	12	265	200	5	120	210	1	13200					934	1810	928	19	
	334	8	185	143	5	90	154	1	13400					1000	1963	1000	20	
	263	1	148	106	5	80	115	1	13600					1258	2080	1240	15	
	312	5	107	75	1	72	103	1	13800					1450	2390	1450	2	

（圖 2：恒指期權成交記錄—2008//10/28）

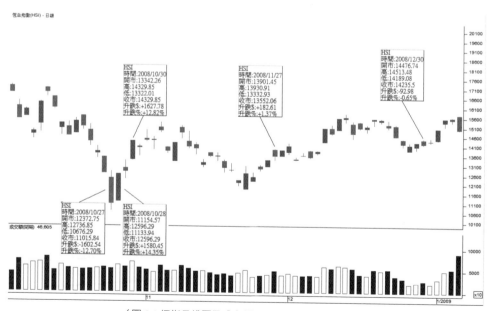

（圖 3：恒指日綫圖及成交額—2008/10 至 2008/12）

《期權 Long & Short》之進階篇

　　用這種較為特別的現象，我們可以比較恒指 2008 年 10-12 月的走勢，當年的 10 月令人難忘，是金融海嘯的最低點，恒指低見 10676 點，恒指期權難得一見開出 7400 － 7900，每 100 點一格的行使價（低於 8000 點時每格 100 點），可見當時市場氣氛之差。但經歷 10 月底的大升市，基本扭轉跌勢，11 月雖然有回落，但最低只是 11814 點，離低點保持 1138 點的距離（11814 點 － 10676 點），而後反彈，12 月更是呈升勢（見圖 3）。

　　今年 10 月，恒指經歷了歐債危機以來的低點 16170 點，這是否是底，不知。但從 2008 年 10-12 月恒指的表現與當年 10 月底的大升市分析，2011 年 10 月的低位是 16170 點，伴隨 10 月底的大升市，此位有可能是今年的底。

　　我們再從波幅看，2008 年 9 月的波幅是 4,783 點（高 21066 － 低 16283），10 月是 7,609 點（高 18285 － 低 10676），11 月是 3,503 點（高 15317 － 低 11814），12 月是 2,437 點（高 15781 － 低 13344），可見 10 月後是波幅收窄（圖 3 是 2008 年，2011 年自行看不另提供了）。今年歐債危機以來恒指每月波幅為：8 月是 3,940 點（高 22808 － 低 18868），9 月是 3,976 點（高 20975 － 低 16999），10 月是 4,102 點（高 20272 － 低 16170）。若用近期恒指期貨波幅看更為明顯，8 月 4057 點，9 月 3940 點，10 月 4103 點。因此，我們也可以預計今年 11 月的波幅也會略為收窄，12 月升市可期。

2011/11/18

筆者主張操作期權要 Long Short 並用，這樣才有期權的味道。筆者較為保守，也不是全職操作，所以是以 Short 為主 Long 為輔，但若閣下可以全職操作，以 Long 為主 Short 為輔完全可行。若以 Long 為主，閣下就要保持較高的關注度。

Long 就是看機會

筆者在期權教室上課解釋 Long & Short 時一定有這句：「Long 是投機，以小博大，本小利大利不大，因為贏面小；Short 是投資，以大博小，本大利小利不小，因為贏面大。」這是期權操作的原理，在此不贅。若理解，我們也可以說 Short 是賺小錢，Long 是賺大錢，但市場一般都不會獎勵賺大錢的投機者，所以做 Long 大多數是輸錢收場。要提高 Long 的勝算，唯一的方法就是：發掘機會，等待機會，利用機會。

本月的開市價是 19434 點，最高 11 月 9 日曾見 20044 點，最低 11 月 10 日也見 18885 點，經過半個月的反覆，發覺 11 月 14 日有可能又會回到開市價，若是，這應該是一個頗佳的機會開 Long。因為時至月中，即月的期權金已略為便宜，時間值也只是開始進入明顯收縮期，還未大幅收縮。但在此時大市回到開市價，好淡雙方又要重新較量，一但有勢，波幅會快速拉開的機會甚高。所以教室建議若等到這樣的機會，就要開 Long。要利用也十分簡單，有觀點，看升 Long Call，看跌 Long Put。若對方向略有保留，可以 Long Call 和 Long Put 同時開，略為偏好可以加 Short Put，略為偏淡可以加 Short Call。若毫無觀點，只能單 Long 兩頭試試。Long 位也是易看，本月高低位已明確。在恒指波幅指數保持在 30 以上的日子，上落千點是十分正常的波幅範圍。

《期權 Long & Short》之進階篇

　　11 月 16 日週三大跌 387 點，最大跌幅達 715 點（19483－18768），圖中可見（11月 16 日恒指期權成交），即日開即月 Long Put，普遍都有 2-3 倍的利潤（請留意認沽期權的最低和最高），若是在週一，大反彈的當天開倉，利潤更豐。若是週一當日 Long 兩頭，在週三跌勢明確時，可以平 Long Call 損失部分期權金或緊貼 Long Call 位做一個 Short Call 鎖定，令損失略減。不過，若閣下對 Long Call 的成本無所謂，可能若出現反彈市令 Long Call 也獲利，達到做 Long 的最高境界，上下通贏。但不論如何，Long Put 的利潤一定涵蓋所有損失，令閣下滿意。

| 認購期權 | | | | | | | | | | 盤中 | 認沽期權 | | | | | | | | |
未平倉	總成交量	最低	最高	前收市	成交	買入量	買入	沽出	沽出量	行使價	買入量	買入	沽出	沽出量	成交	前收市	最高	最低	總成交量
79.444K	103.559K	18709	19446	19295	18889	2	18884	18888	1	HSIX1									
304				2726						16600	1	50	51	5	48	32	76	26	206
433				2529						16800	14	54	68	1	64	40	93	35	358
709				2369						17000	11	75	86	1	75	50	114	39	1.006K
203	26	1700	1835	2148	1739					17200	5	93	101	1	101	63	140	50	476
120	6	1670	1696	1980	1670					17400	6	102	130	6	123	76	168	59	648
937	75	1346	1517	1804	1386					17600	14	139	158	14	147	96	204	74	724
279	11	1217	1241	1626	1236					17800	8	172	191	14	181	120	244	91	650
1.464K	5	1045	1130	1449	1100					18000	5	220	228	5	223	145	297	114	1.739K
541	150	874	1210	1281	945					18200	1	272	280	19	272	178	349	140	869
919	48	745	960	1124	815					18400	6	313	337	5	319	216	415	172	987
1.815K	91	613	1037	961	670	5	650	707	8	18600	1	382	401	5	379	268	493	213	1.346K
994	210	495	815	825	556	5	543	575	8	18800	6	459	484	6	472	322	576	260	962
1.544K	643	398	703	680	452	6	436	459	14	19000	6	551	574	6	551	383	679	320	1.085K
1.45K	593	313	573	569	353	6	340	362	8	19200	8	646	680	6	693	465	785	388	146
1.397K	668	238	500	457	280	14	259	278	1	19400			799	6	770	546	917	470	224
2.008K	1.057K	177	395	369	206	1	202	208	1	19600					900	649	1058	610	142
1.558K	969	130	305	275	150	6	140	154	4	19800	9	709			1168	769	1205	683	27

（圖：恒指期權成交記錄—2011/11/16）

　　同樣是跌市，但股票期權的獲利就遠不如指數，11 月 16 日週三，在眾多的股票中只有活躍的中人壽（2628）和平保（2318）跌幅超過 5%，而這兩個股票期權即月 Long Put 的期權金只有在兩個行使價有 2 倍的利潤（請自行在港交所網上查看）。也就是説閣下不單要選中這兩個股票，而且還要選中這兩個股票 Put 位的兩個行使價，實在不易。當然，個股的 Long 也有令人興奮的時刻，但大多數是基本因素變化導致該股出現的機會，

此篇幅留在今後的文章。

　　港交所（388），本人的愛股，目前雖然暫時擊退了匯豐的股票黑池，但卻給德交所的輪證黑池發牌，此舉可能會令近來不斷升溫的窩輪及牛熊證市場更加熾熱，我們已見牛熊證街貨量分佈的波幅位，已逐漸成為市場人士討論波幅時的主要話題（相對恒指波幅指數 /VHSI），顯得更有參考價值。筆者不理解的是，為何港交所不花些氣力推廣自己的期權產品。

2011/12/02

　　這又是一篇 VHSI 的文章，再次提及高位 58，低位 16，細讀吧。

期權策略巧用恒指波幅指數（VHSI）

　　恒指波幅指數（VHSI）是香港版的 VIX（俗稱股市恐慌指數，美國芝加哥期權交易所 /CBOE 的產品），簡單說就是股市升，指數跌；股市跌，指數升。若閣下習慣看 VIX，可能會覺得 VHSI 略為偏高，這是由於 VHSI 的改動部分中含有較多的價外（OTM）成分，並不是恐慌程度高。該指數今年 2011 年 2 月下旬在香港面世，恰逢日本地震，VHSI 指數略升高數日，之後股市向好，指數最低曾見 16.77，但在今年歐洲債務危機的恐慌日子，指數最高曾見 58.61。

《期權 Long & Short》之進階篇

（圖：VHSI 日綫圖—2011/03 至 2011/12）

在筆者《期權 Long & Short》一書說明，期權分指數期權和股票期權，對沖方法不同，結算方法不同，兩者的策略也一定不同。靈活使用恒指波幅指數（VHSI），應該是在指數期權的操作領域。

圖中可見，VHSI 從 3 月下旬至 8 月初，指數都是處於偏低水平（16.77－24.02），大市穩中向好。進入 8 月，指數突然拉升，然後進入偏高的水平（25.54－58.61），大市顛簸，暴跌狂升，出現千點以上的日波幅。我們可以暫且稱偏低和偏高時段。

筆者在《信報》早前有文章題為〈Long 在手 Short 風流〉，說明指數期權的對沖關係，要有 Long 和 Short 平衡風險。從安全性講，應該先 Long 後 Short，按金也大幅降低。但從機會性講，可能是先 Short 後 Long 的方法較容易操作，當然風險略高，開倉按金要求也會高。但在 VHSI 處於偏低或偏高的時段，同樣是 Long & Short，我們的策略應該有

所不同,理由是偏低的時段波幅低,偏高的時段波幅高。

　　期權在做 Long/Short 時,可以 Short 近 Long 遠,比如說在 Put 位做倉,Long Put 16800 點行使價付 70 點期權金,Short Put 17000 點行使價收 100 點期權金,賺取兩個行使價之間的差價 30 點利潤(100 - 70),打和點就是 16970。風險就是結算價在打和點之下,例如在 16800 結算,閣下的 17000 Short Put 有 100 點的價內損失(200 - 100),加上 16800 Long Put 所付的 70 點期權金,最大風險可達 170 點。

　　這種策略十分普遍,由於按金要求非常低,張數會做得多,若結算價跌不穿 17000 點,張數多的利潤也十分可觀。但在 VHSI 偏高的時段,由於波幅大,結算價穿位的機會要比偏低的時段為高,張數多的利潤就成了張數多的虧損。因此,由於風險因素,此策略應該只用於 VHSI 的偏低時段。

　　在 VHSI 偏高的時段,可以考慮 Short 近 Long 遠,舉例說在 Call 位做倉,Long Call 20200 點行使價付 100 點期權金,Short Call 20400 點行使價收 110 點期權金,表面看有 10 點利潤(110 - 100)。讀者會問,Short 近 Long 遠,為何可有 10 點利潤。這就是筆者建議的動態做法,利用一天的波幅,只要有 200 - 300 點的波幅就可以有這樣的效果。若日波幅大,閣下做對方向時利潤會增,但風險有限。期權教室的堂前語錄有:Less is more!我們不要小看這 10 點,這是無風險利潤(Risk-neutral)的策略,在任何位置結算都一定贏。若閣下再進取些,採用多張數走位的方法,效果會更佳,因為 Short 近 Long 遠的按金要求更低,此篇幅留在今後有適當市況時與大家分享。

　　執筆時,歐洲出現較為樂觀的現象,歐羅處於低位,有利歐豬國恢復經濟動力,股市開始有明顯的升勢,令市場情緒回穩,有利歐洲銀行重整。一但 VHSI 又進入偏低水平,在該時段我們就又可以開始先 Long 後 Short,Short 近 Long 遠。

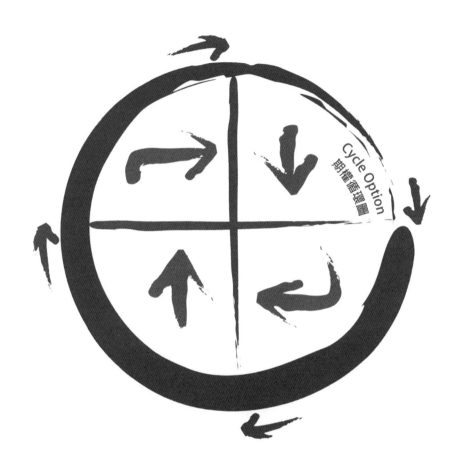

指數期權
2012

《期權 Long & Short》之進階篇

2012/01/13

這篇文章有一段時間是期權教室上課的讀物，值得做指數期權的朋友細讀。我們要承認我們是機會主義者，投資機會，所以是投機者，但機會不可能時常有，你必須耐心地等待機會出現，本能地去捕捉。所以科斯托蘭尼講，鈔票是屁股在板凳上坐出來的。

等是期權的藝術

較早前本欄有一篇文章，題為〈Long 在手 Short 風流〉。介紹指數期權的對沖策略，只要 Long 有利潤，Short 可以十分寫意，是一個愉快的投機行為。但要 Long 有利潤，必須是市況快速上下波動，比如說 3 天內有千點以上的升幅或跌幅，3 天的時間值損耗不多，可是波幅大，IV 漲，期權金高，此時再開 Short 當然痛快。但若市況牛皮，此招未必奏效。如 2011 年 12 月開市是 19033 點，12 月初高見 19242 點，12 月中低見 17821 點。至今已 1 月中，昨天升穿至 19261 後回落，近 30 日的上下波幅只有 1440 點（19261 - 17821），要 Long 有利潤不容易，可能只有本週的 Long Call。其實，進入 12 月，兩個現象不難發覺：其一是港股成交下降，市場氣氛趨平淡；其二是聖誕節後春節假期在 1 月，造成 12 月和 1 月的交易日減少。因此，可以預計波幅會略低，上下波幅位雖然仍然可達，但所需時間會略長。因此，開 Short 倉勝算高，在此講的是風險最高的空頭 Short。

風險高，開 Short 倉一定要等待機會，12 月初裂口高開，機會未到，因為不知升勢是否會延續。一週後大市開始回落，機會出現，正是開空頭 Short Call 的良機。若以期權教室建議的 4 個 ATR/N 值計是 1800 點（450×4），也就是可以選擇行使價 20800 以上的 Short Call（19000 + 1800）。由於考慮到以上所講的兩個現象，所以月份的選擇應該是 1 月，當時期權金約 150-210 點。20800 是頗關鍵的位置，若有 200 點期權金在手，

打和點就是 21000，是港股反映歐債危機爆發的下跌裂口，要在 30-50 天內升達此位，可能性不高，值得開倉。

動態做期權不會立即開反向倉，反向倉也是要等，等到預期的下跌波幅出現，一般來說，2 個 ATR/N 值是可預期的波幅區，也就是 900 點左右。因此，要等到大市回落到接近 18000 點時開 Short Put。Put 行使價的選擇可以是 16400，月份的選擇考慮如上，開 1 月倉，當時的期權金約 190-250 點，若有 200 點在手，打和點是 16200，此位也正是港股反映歐債風暴的底。歐債問題的會議要在 2 月份開，1 月底前應該會相對平穩。所以也值得開倉。

選擇 Call 20800 和 Put 16400，是因為對空頭 Short 而言，都屬於「勝兵先勝而後戰」的戰區。

完成部署後，還是要等，就是要等時間值的消耗。這種等待是與時間拍拖，十分瀟灑。若閣下有多幾套，還可以用一兩套來玩移位遊戲，也就是調整行使價，或者是吃『半熟牛扒』，增加利潤，同時也考驗自己的眼光。不過，筆者在此也要強調，空頭 Short 不應該是做期權的核心策略，只是在時空適合條件下的應市策略，所以空頭 Short 不單在開倉時選擇行使價和月份要十分謹慎，建倉的張數也一定要非常保守，萬一到位，基本的救倉策略，用 Long 還是用期貨，都要事先準備好，真正做到心中有數。當然，這裡講的是指數期權，若運用到股票期權又是另一種對沖策略，今後會有文章討論。

本文講的等是在期權開 Short 倉時的藝術，其實 Long 倉亦然，不過等 Long 比等 Short 難，要等較長的時間才有好機會。所以，等得不耐煩時，就重讀科斯托蘭尼的名言：「鈔票是用屁股在板凳上坐出來的。」

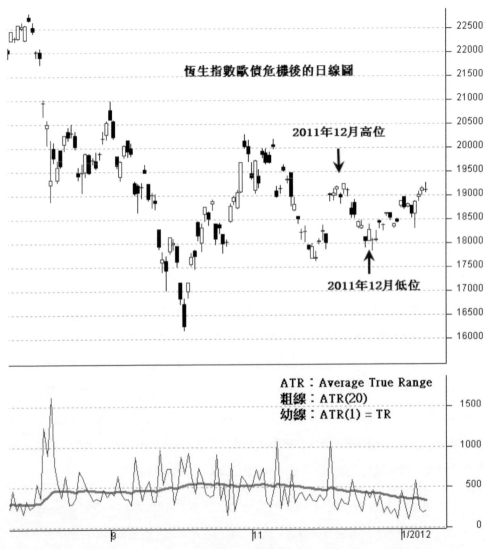

（圖：歐債危機後的恒生指數陰陽燭圖附 ATR(20) 及 ATR(1) 圖—2011/07 至 2012/01）

2012/01/27

上文用了 ATR/N，本文用 VHSI，這是兩個頗為重要的波幅指數，作為期權的操作者，應該在每次較大型的升跌浪中分析這兩個數據的變化，琢磨出適合自身條件的使用方法。

恒指波幅指數與期權等價引伸波幅

恒指波幅指數（VHSI）對操作期權頗有幫助，期權等價引伸波幅（IV）更是期權金的最重要參數。VHSI 是從去年 2 月份開始提供的，經歷了日本大地震的短暫抽升後，有半年時間頗為平穩，但去年 8 月份從 22 點左右開始大幅上揚，最高達 58.61，恒指也跌至 16170 點的水平，充分反映了歐債危機在港股的表現。去年 8 月，當時恒指處於 22000 - 23000 點，等價期權的 IV Call/Put 都是 19 - 20 左右。

今年 1 月份，恒指波幅區域在 18302 - 20161 點，VHSI 也回落至 22 左右，也就是去年 8 月開始上揚的起點。若認為波幅指數是恐慌指數如美股的 VIX，那目前的恐慌情緒已全面消散，港股應該向樂觀的方向邁步，也就是説要回落至 15-16 的水平（見圖），而恒生指數可以在此波的升浪中上試回補去年 8 月大跌的裂口。

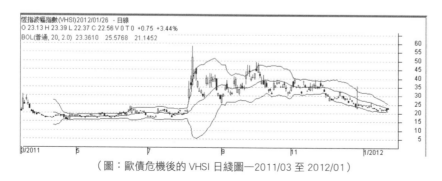

（圖：歐債危機後的 VHSI 日綫圖—2011/03 至 2012/01）

《期權 Long & Short》之進階篇

但是我們要想想，到底導致 VHSI 升至 58.61 的歐債危機是否已經解除，若大局已定，那 VHSI 升至 58.16 就是過度恐慌，若還未有定論，目前 VHSI 處於 22 就會是波幅暫時停留的區域。見昨天恒指大升 328 點，而 VHSI 反升 0.75，有倉位的朋友要有警覺。

期權引伸波幅分 Call/Put，還有分等價（ATM）與價外（OTM），從而形成引伸波幅微笑不微笑理論（IV Smiling or Skewing）。今天先講等價，從等價期權引伸波幅在不同月份的 Call/Put 反映，可以推測市場人士對波幅與時間關係的觀點。根據期權金計算的原理，等價期權的引伸波幅（IV）在 Call 和 Put 應該是比較接近的，在一般情況下，由於對沖的需要，Put 會略高於 Call。期權的引伸波幅是期權市場的即時數據，只反映當時的市場情況，但也可以是用來做短線分析用。附表中的數據可見，3 月的反映頗為正常，2 月略帶樂觀，1 月則是充分樂觀，但 6 月則是非常之謹慎。

行使價 20000 點	Call	Put
2012 年 1 月	21.04	15.53
2012 年 2 月	22.24	20.68
2012 年 3 月	21.76	23.74
2012 年 6 月	17.75	27.49
數據來自電資訊 (TQ) 2012-01-20 收市		

（表：不同到期月份之 Call/Put 的等價期權引伸波幅—2012/01/20）

筆者去年底在《信報》有文章，將美國看成是處於療傷期的足球名將，市場期待球星復出，大家有好球看。但美國的復甦和改革是漫漫長路，尤其是金融業的改革。若閣下相信金融業目前是處於一個動盪的金融亂象期，那您就要有準備，前面的波幅不會小。所以，若見 VHSI 和 IV 同時上揚，要考慮開 Long Put。

回顧去年，不少朋友們都提及有媒體報導去年賺錢的方法是 Short China，似乎只有沽空中國才能賺錢。筆者對此不表認同。若閣下去年在幾個主要市場做淡倉，跌幅最大的應該是德國 DAX 指數，從 8 月的 7300 點跌至 5000（最低 4965 點）的水平，跌幅達32%；若從 4 月份的最高點 7600 點計，跌幅更達 35%。但 A 股從 4 月的最高點 3067點跌至 2133 的水平，跌幅約 30%。而恒生指數指從 4 月份的最高點 24368 跌至 16170的水平，跌幅 34%。因此可見，若閣下在 DAX 做淡倉，收穫也不會低於用任何形式的Short China。

今時今日，全球經濟一體化，關鍵是眼光，懂得運用期權的功能，跟隨趨勢，按自身的條件制定策略，關注自己熟悉的市場遠勝分散投資於不同的市場。

龍年是波動的年份，但也是機會的年份，我們除了要為龍點睛開年，還要點燈籠看路，從龍頭看到龍尾。

祝各位龍年得意！

2012/02/24

　　期權開 Long Put 是非常有趣的行為，不同的人應該有不同的目的，由於功能廣泛，可以運用於許多市況。上過基礎堂的朋友學員都會記得其中一句：「Long Put 是大量股票持有者必做的動作」。因為這是為股票，特別是在短期已有相當升幅的股票買保險，作為保險金支出。若出現預期回調，Long Put 可以補償多少股價損失。既然看到大戶人家有如此動作，也為投機者提供了短線獲利機會。

期權 Long Put 看門口

　　去年歐債危機的大裂口是 2011 年 8 月 5 日的 21725 點，不到半年時間，我們已回到原地，以 2 月 20 日的新高 21760 點回補了大裂口，似乎歐債已得到解決。若認為希臘問題解決，歐盟解放，這只能是期望，做判斷估計是過早樂觀。希臘的拯救方案一定會通過，討價還價只是政客的表面功夫，因為這是一個沒有選擇的政治遊戲。歐洲的複雜程度我等散戶難以明白，也沒有可能進行具體的研究，但我們可以預計的是希臘即將進入被監管期，各種緊縮政策即將開始運作，衰退是應該出現的現象，人們即將要嘗到真正的勒緊腰帶的滋味。衰退在歷史上經常發生，不足為懼，人們會有經驗對付歷史的重演。但這此次不同之處是在同一貨幣下不同地區可能出現深層次的不同表現，我們可以想像：當希臘人在街頭聚集扔石頭，而德國人在街邊酒吧歎啤酒，這種社會現象會導致人們怎樣的情緒實在難以預計。面對歐美股市已累積的升幅，若因某些社會現象導致一次調整也是十分正常的市況，因此，我們可以考慮用期權 Long Put 看門口，以防萬一。

　　大市升至 21760 點，手上的股票也應該有不少進賬，是時間為自己的股票買保險。

我們先看恒指 3 月的期權未平倉合約：Call 的大倉位較為簡單，最大倉位是 20000 點行使價有 5047 張，但大部分都是在 2 月 1 日以前建倉，也就是在 20400 點之前開的倉，目前成為價內期權，成交不活躍。較為活躍的是價外 22000 點行使價，目前有 4544 張，但有 3239 張也是 2 月 1 日以前已建倉，也就是説，3 月的大 Call 倉在 2 月份並不活躍。再看 Put，Put 的大倉位都是在大位，18000/4780 張，19000/4361 張，20000/4085 張，但以 20000 點行使價最為活躍。從表 1 中可見，2 月份是升市，在恒指不斷上升的市況下，Put 20000 點行使價的未平倉合約是不斷增加。若從恒指目前處於 21400 點，ATR(20) 值是 303，是 4 個 N 值以上，按海龜投資法是難達之位，但恒生指數月波幅千點以上是十分正常的。

日期	成交量	期權金高 / 低	昨日未平倉 / 當日未平倉	恒生指數
20120201	545	635/543	943/1268	20269
20120207	757	463/417	1730/1933	20699
20120215	1522	280/188	2493/2898	21365
20120220	896	216/145	3342/3873	21424

（表 1：恒指三月期權 20000 Put 的近期表現）

我們再看國指，目前國指期權的成交量和未平倉合約已超恒指，而且集中，有指導意義。我們先看 3 月的未平倉合約 Call，3 月 Call 的大倉位在 12400 點行使價，但該位的倉有 5700 張＋ 2562 張是分別在 1 月 20/21 日做的，最高倉位達 11704 張，在 2 月 17 日減至 9170 張，目前是 8979 張，成交不活躍。再看 Put，3 月 Put 的大倉位，目前在 11200 點行使價，有 7874 張。從表 2 可見，該行使價的倉位是 2 月份累積出來的，

也是屬於國指不斷上升，倉位不斷增加。此刻 ATR(20) 是 230 點，距離國指現價只有 2.2 個 ART/N，是可達的波幅位。

日期	成交量	期權金高 / 低	昨日未平倉 / 當日未平倉	國企指數
20120201	24	469/406	340/329	11253
20120207	1530	357/331	378/1694	11499
20120217	5144	250/231	1848/6568	11711
20120222	494	208/170	7574/7874	11823

（表 2：國指三月期權 11200 Put 的近期表現）

我們不必太理會是 Long 還是 Short，因為市場上總是有人看好也有人看淡，因此形成市場。但我們要研究這些行使價的位，若波幅到位，對自己持倉有什麼的影響。

2012/04/20

筆者認為操作期權的境界是可以綜合天時、地利、人和，最後制定出適合自己的策略，本文是考慮了大市的波幅及四月時間值的因素。香港的假期多，有中又有西，這些都是可以運用的因素。

波幅收窄的期權策略

2012 年 3 月，恒生指數最高見 21641 點，最低達 20374 點，高低波幅為 1267 點，低於 2 月份的波幅 1491 點（H 21760 - L 20269）。期權教室通常主張做 30-50 天的期權，

也就是本月、下月、最多再下月。在制定策略時，對下月的波幅預期當然是最重要的因素，但同時也要考慮利用時間因素，也就是要留意下月的時間是否有特別之處。4 月的特別之處就是假期多，所以，在 3 月的波幅中開 4 月期權，應該首選 Short 倉，目標是要吃 4 月上半部分的時間值。可是在開下月 Short 倉時，經常是還未有做好保護（Hedge），所以要算足上下波幅之餘，還要仔細分析各大倉位，根據自己的搬倉能力（Rollover）定張數，期權教室有開倉 15 ＋ 3 的原則給大家參考。一般情況下，寧願搬 Put，謹慎搬 Call。也就是説，Call/Put 都是做價外，但 Call 可能要遠些，Put 可以略近些。由於都是價外行使價，還沒有保護，期權金會較少，操作時的心態應該是 Less is more。我們不應該做出一些倉位，在開倉後天天要擔心市況，這些是不健康的倉。筆者早期在本欄有題為：〈做保守的投機者〉的文章，我們行為要執行自己保守的投機理念。

（圖：恒指日綫圖—2012/02 至 2012/04）

《期權 Long & Short》之進階篇

4 月期權金變化	Call 行使價 20800	Put 行使價 20000
4 月 16 日	H212/L158	H135/L95
4 月 17 日	H201/L113	H144/L83
4 月 18 日	H281/L214	H55/L39
4 月 19 日	H338/L195	H40/L19

（表：即月恒指期權 20800 Call 和 20000 Put 的期權金變化）

　　4 月恒生指數的開市是 4 月 2 日以 20662 點起步（見圖），4 月 3 日上過 20816 的高位後回落，之後跌至 20035 的低位獲得支持。最精彩的是半個月後，長假期完，4 月 16 日以 20516 點開市，差不多回又到 4 月 2 日的開市起步點，也就是説，在 3 月份開的 Short 倉，不論 Call/Put 都已是利潤在手。但同時，波幅收縮，期權金便宜，提供了絕佳的開 Long 機會。從波幅計，至 4 月 16 日的波幅十分低，只有 781 點（高 20816 - 低 20035），這種波幅範圍一般情況下是要突破的，若不突破，也會在此區域內反覆多次，保持日波幅。有見於此，筆者在網上的每日策略文章中建議在 20600 點的位置開 Long 倉，反正有 Short 的利潤，可以 Call/Put 一起 Long，Long 的位置也明確，Long Call 20800 的本月高，Long Put 20000 的本月低（見表）。此策略原則上是動用本月的 Short 倉利潤，以 250 點左右的期權金（每點 HKD50）開一套 Long Call/Put。這種策略就是要看到位，若閣下 very smart，4 月 17 日見『跌有限』，平 Long Put，先取一點利潤，但保持 Long Call，閣下會為 Call 倉的利潤而興奮。若閣下 4 月 18 日見恒指達 20800 點時 Call/Put 一起平，閣下也會為兩天（48 小時）的利潤滿意，因為這是風險極為有限的投機，若有多套，分段止賺，利潤可以倍計。還有 5 個交易日就是本月結算，如無意外，在如此窄波幅的月份操作，Short 倉的利潤會全收，Long 倉也有進賬，整體利潤一定超過 5%，按期權教室的表現機制，就要開支紅酒自我表揚。

2012/05/04

　　這是〈Long 在手 Short 風流〉的姐妹篇,若閣下可以將兩篇一起細讀,一定會有更深的體會。筆者不建議完全用本金開 Long,理由早前講過,但若手上有利潤,則應該積極出擊。

利潤在手 Long 風流

　　2011 年 5 月 6 日,本欄有篇文章題為〈Long 在手 Short 風流〉。說明要 Short 得痛快,沒有壓力,就要有 Long。這幾個月恒生指數日波幅保持,但月波幅偏低,引伸波幅也低,保持在 20 以下,VHSI 也是在 20 以下。表面看期權應該以 Short 倉為主導,但 IV 偏低,期權金縮,為了追求較高的利潤,Short 倉就會略為貼價,但同時又會造成了萬一波幅拉開的風險,即使是 Long & Short 一起做,利潤也是有限。

　　筆者認為頗為可取的,還是用『期權循環圖』的思維方法,在 IV 偏低時先用 Long 進場,預計月波幅低,可以對沖千點價外的 Short。在這種波幅偏低的市況下,對沖的基本策略不變,但小期權和大期權的對沖關係和比例,則可以按個人的持倉大小和對波幅的預期作出調整。在已平倉獲利和預期獲利的情況下,以利潤繼續開 Long,追求日波幅,這就是利潤在手 Long 風流。

代號	名稱	上日持倉	存取	今日長倉	今日短倉	淨倉	市價	盈虧
HSI19000O2	恒指 2012-03 19000 Put	-1@83.00		1@30.00		0	26	2,650.00 HKD
HSI19200O2	恒指 2012-03 19200 Put	-1@102.00		1@32.00		0	32	3,500.00 HKD
HSI22600C2	恒指 2012-03 22600 Call	-1@50.00				-1@50.00	22	1,400.00 HKD
MHI20000O2	小恒指 2012-03 20000 Put	2@142.50		1@98.00	-1@138.00	2@122.50	96	-530.00 HKD

(圖 1:期權交易及倉位記錄—2012/03/09)

《期權 Long & Short》之進階篇

3 月 9 日（圖 1），月初，以 Short 22600 Call 的預期利潤 Long 20000 細 Put ×2，並以此對沖 Short 19000 和 19200 Put，由於有 HKD 6,000 以上的即時利潤，獲利平倉。

代號	名稱	上日持倉	存取	今日長倉	今日短倉	淨倉	市價	盈虧
HSI200000O2	恆指 2012-03 20000 Put	-1@40.00				-1@40.00	33	350.00 HKD
HSI202000O2	恆指 2012-03 20200 Put	-1@69.00				-1@69.00	48	1,050.00 HKD
HSI204000O2	恆指 2012-03 20400 Put	-1@91.00				-1@91.00	74	850.00 HKD
MHI200000O2	小恆指 2012-03 20000 Put	3@125.00				3@125.00	33	-2,760.00 HKD
MHI20000P2	小恆指 2012-04 20000 Put	1@140.00				1@140.00	215	750.00 HKD
MHI208000O2	小恆指 2012-03 20800 Put	1@100.00				1@100.00	180	800.00 HKD

（圖 2：期權交易及倉位記錄—2012/03/22）

3 月 22 日（圖 2），在高位，有利潤在手，期權金便宜，繼續開 Long Put，由於成本早前已回收，開新倉的成本只是略增，以 Long Put 倉對沖 Short Put 倉。以當時的恆指預計，3 張 Short Put 共收 200 點期權金（＝ HKD 10,000），全部是利潤的機會極高。

成交	名稱	買入量	沽出量	價格	時間
MHIM2	小恆指 2012-06		1	20700	2012/03/28 09:15:53
HHI1100	H股指數 2012-0		1	12	2012/03/28 09:18:20
HSI208C	恆指 2012-03 20	1		30	2012/03/28 09:20:16
HSI208C	恆指 2012-03 20	1		30	2012/03/28 09:20:26
HSI208C	恆指 2012-03 20	1		30	2012/03/28 09:23:05
HSI208C	恆指 2012-03 20	1		30	2012/03/28 09:31:33

（圖 3：期權交易記錄—2012/03/28）

3 月 28 日（圖 3），由於本月利潤目標已達，所以不介意用月初的利潤開月尾 Long，HKD 6,000 可以開 4 張 30 點的 Long 20800 Put。由於不知是否有波幅，所以利用當日跌市以同樣的 30 點期權金 Short 20600 Put。若波幅可達 20600，利潤可觀；波幅不達，平手離場。

成交	名稱	買入量	沽出量	價格	時間
MHI20800O2	小恆指 2012-03 20800 Put		1	150	2012/03/29 09:17:45
HSI20600O2	恆指 2012-03 20600 Put	1		30	2012/03/29 09:19:39
HSI20800O2	恆指 2012-03 20800 Put		1	150	2012/03/29 09:23:03
HSI20600O2	恆指 2012-03 20600 Put	1		24	2012/03/29 09:24:20

（圖 4：期權交易記錄—2012/03/29 結算日）

3 月 29 日（圖 4），結算日，Put 20800 和 20600 有明顯價差，擔心跌不到位，所以先行平兩套獲利。由於 Short 20600 Put 也差不多以成本平倉，所以 Long 20800 Put 的 150 點減去成本 30 點後全部是利潤。至於剩餘的兩套利潤如何，各位朋友可以按結算價 20615 自行分析。

若閣下是 Smart guy，還可以按圖中的倉位計算出要多少資金做先 Long & Short 獲取這些利潤。

執筆之時，正是五四青年節，聽聞本港有四位青年要用 8 個月時間橫跨 18,000 公里，用單車遠征巴黎，此舉的內涵意義無限，精彩人生路用雙腳踩出，實在令人感動。回想歷史上的優秀人物，都是有自己的追求，按哲學的語言就是在生活中要有 self-sufficient（自給自足）。今時今日，這種人實在太少，多數都是為了幾個錢，包括本人。

2012/06/15

筆者較為強調研究波幅數據，因為利用波幅數據操作期權會有樂趣，當然，更有樂趣的是回報。

學波幅指標　謀期權策略

筆者在期權教室反覆強調，期權是金融產品，當然具有方向性。但期權的特色是有時間概念的波幅性產品，若閣下完全當方向性產品做，可以，但是浪費了期權的功能。若認同期權是波幅性產品，那就要研究主要的期權波幅指標：引伸波幅 /IV（Implied Volatility）和恒指波幅指數 /VHSI。引伸波幅 /IV 是一個可以用於做買賣時參考的指標，而 VHSI 則大多用於做分析。

進入 2012 年，本港的國企指數期權從成交量（Volume）到未平倉合約 /OI（Open Interest）都明顯超越恒生指數期權，以 6 月為例（計至 6 月 14 日）：國企指數期權超過萬張的有 3 個位，Call 位 11000 有 17437 張，11400 有 14053 張，Put 位 9600 有 10465 張。而恒生指數期權最大 Call 位 19000 只有 6498 張，最大 Put 位也是 19000 有 7772 張。所以我們分析國指。

6 月 11 日的國企指數期貨是大升 267 點（6 月 10 日收 9280 點，6 月 11 日收 9547 點），當天開市 9551 點，收市 9547，只有 4 點之差。從附表中我們可見，國指期權主要 Call 位的開收情況。雖然期貨開市與收市相差微不足道，但期權金相差甚大，越是價外，相差越大，這就是引伸波幅 /IV 的威力。開市時段是裂口開，波幅大，IV 高，期權金也就水漲船高；經過一天數小時的買賣，當天的波幅收窄，IV 也降，收市時期權金自

然也回落。引伸波幅 /IV 是在期權金的計算模式（Black-Scholes Model）中產生的，我們要學習期權，更要實踐期權。在 IV 低時考慮 Long 的策略，在 IV 高時考慮 Short 的策略，充分利用引伸波幅變化對期權金的影響，從而掌握操作期權的技巧。

Call 行使價	開市 / 收市	變化點 / 百分比	收市 IV
9400	342/323	-19/5.5%	29
9600	222/210	-12/5.4%	28
9800	139/126	-13/9.3%	27
10000	77/68	-9/11.7%	27
10200	42/33	-9/21.4%	26
注：國企指數 6 月期貨當天開 9551 收 9547（-4 點）			

（表：2012 年 6 月 11 日國企指數 6 月期權主要 Call 位的變化）

恒指波幅指數 /VHSI 是芝加哥 VIX 的翻版，但港交所增多了價外期權的成分，本港股市從來都是以波幅大見稱，多些價外期權成分十分合理。VHSI 與恒指是反向指標，恒指升 VHSI 跌，恒指跌 VHSI 升。見圖，本文只簡單講平均線，10 天跌穿 20 天，處於回落期的初始階段，該指數目前在 26 已出現頸線，一旦跌穿，跌幅可以頗大，也就是説指數會有明顯的升幅。從 VHSI 分析波幅和趨勢，有實用性，篇幅有限，下回再續。

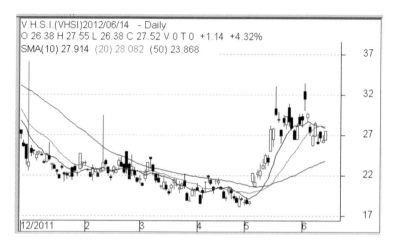

（圖：VHSI 日綫圖及 ATR/N 值—2011/12 至 2012/06）

　　再回到基本面看，歐羅已開始反彈，歐央行出手 1,000 億（100 billion）歐羅救西班牙銀行，這是有震慑性的數字，足以抵消西班牙銀行的任何壞賬。除了緩解歐債短期的心理壓力外，還會是一個正面的信息通知雅典，做歐洲大國的國民是正確的選擇。歐洲是一個有人口質素的地區，重新崛起不難。筆者雖然認為希臘極端分子成功的機會甚微，但擔心的是再次流選，因為人心惶惶，遊離票會較多，若出現再次流選，歐央行會再押後出手，市場情緒又會再度悲觀。若本週末希臘的消息是正面，市場就會再次出現憧憬，有利股市。所以，港股本週在 19000 點的邊緣消化沽壓後，一旦外圍利好，再配合香港的七一大典，神九升天，京官到北風吹，反彈後浪不能小看。

　　在上兩週的文章中筆者的建議是：5 月做了 Short Put 的朋友應該準備資金接貨，迎接 6 月可能出現的反彈，若閣下有貨在手，也就是有 Long 在手，此刻應該瀟灑等待，屆時開 Short 自然風流。

2012/06/29

倉位分析是期權操作非常重要的一環,若配合波幅指數一起運用,效果更佳。不過,波幅指數容易理解,倉位分析則是頗費精神的功夫。

利用波幅倉位　巧定期權策略

上兩週本欄提及 VHSI/ 恒指波幅指數,當時只提及簡單移動平均線 10 天跌穿 20,是處於回落期的初始階段,而且在 26 出現頸線。兩週以來,該指數從 6 月 14 日收 27.92 後明顯跌穿頸線 26,6 月 27 日收 21.05,最低已見 20.13。(見圖)

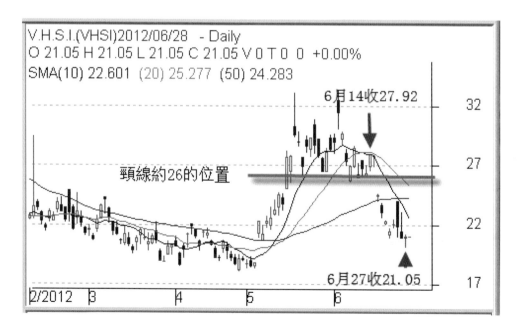

(圖:VHSI 日綫圖—2012/02 至 2012/06)

《期權 Long & Short》之進階篇

　　我們再看恒生指數，6 月 14 日收 18808 點，6 月 27 日收 19176 點，相差只有 368 點。
若按海龜投資法的 ATR(14) 值計，目前的波幅是 275 點，368 點只有 1.34 個 N 值，是完
全可預期到達的波幅區域。可是在這個窄波幅內，VHSI 跌了 6.87（27.92 - 21.05）。

日期	成交	期權金高 / 低	昨日未平倉 / 當日未平倉
20120518	1082	471/355	1800/1878
20120531	1959	298/193	2757/3584
20120604	2033	180/129	4050/4735
20120605	4075	167/133	4735/5865
20120608	2478	249/164	5961/6597
20120615	1487	612/320	6675/6694
20120618	662	750/583	6694/6545
20120622	2130	247/170	6427/7141
20120626	5048	122/63	7477/8710

（表 1：恒指 6 月期權 19000 Call 的主要變動）

　　芝加哥的 VIX 被稱為恐慌指標不無道理，因為股市的指數水平相差不多，但波幅指
數明顯下跌，可以解讀為在此股市指數水平的恐慌性在降，也就是再出現大跌可能性偏
低，股市的短期趨勢可以看穩（橫行）和看好（上升）。所以，期權教室提倡用動態制
定期權策略，充分運用期權的各種特性。

日期	成交	期權金高 / 低	昨日未平倉 / 當日未平倉
20120308	1870	570	3858/5058
20120430	1153	180/150	5508/6467
20120516	2767	727/528	7305/7581
20120521	1487	871/800	7365/6657
20120604	152	1267/1107	6670/6620
20120611	1238	525/414	6830/7720
20120618	4328	161/121	7916/7548
20120621	3077	120/60	8313/8542
20120622	3182	224/148	8542/8112

（表 2：恒指 6 月期權 19000 Put 的主要變動）

　　期權倉位，也就是未平倉合約 /OI（Open Interest）的變化，是期權操作的一個重要參考數據（見表 1 和 2）。本月的 19000 行使價，不論 Call/Put，在月初已成熟（倉量可以與上月相比），筆者列舉的是主要大成交日和最高期權金日。我們先看 Call，最高 OI 為 8710 張，6 月 8 日已建倉 6597 張。再看 Put，最高 OI 為 8542 張，但 5 月 16 日已建倉 7581 張。在本月的波幅中，19000 Call 基本是不斷增倉，Put 也只是在月初出現暫短的減倉，隨即繼續加倉。從表面上看，這些都應該是以收取期權金，賺時間值為主導的期權策略，其最高獲利點就是即月 19000 點結算。若閣下認同，是可以小注跟隨的，事實上，慢大戶半拍，有時效果更佳。

　　從引伸波幅微笑（IV smiling）的原理，Put 的期權金一般都會是高於 Call 的期權金，所以，在同一行使價，若以 Short Call/Put 收取期權金計，盡可能保護 Put 的期權金，從操作上和意義上都會比保護 Call 的期權金更有價值。因此，月中在期權教室做分析時的觀點是，按本月的盤路看，很可能靠近 19000 結算，因為倉位決定立場，但高於 19000 的機會要比低於 19000 的機會偏多，道理正在於此。

《期權 Long & Short》之進階篇

　　從表中我們還可以見到，Call 和 Put 的期權金處於最高位時，期權成交量並不大，説明大戶也不一定能捉到最佳的時機開倉，這些反而是散戶，特別是 smart money 的機會。

　　下月本港開始進入新篇章，估計我們的領導人會創造出本港金融業與內地金融業融通的現象，令本港的金融業從業員有機會為內地客戶提供服務，我們要為此祝福。7 月 4 日，本人會在港交所（388）與工銀國際（ICBCI）合作推廣股票期權的講座上講『期權循環圖』之四大策略，有興趣的朋友可以電郵了解詳情。

2012/07/27

　　對於經常使用 Short 的期權操作者，這篇文要細讀，因為若習慣了做沒有保護的 Short，當波幅收窄時也如常照做，會不知不覺地累積自己的市場風險。

指數波幅窄　期權 Long 為先

　　恒生指數六月份的升幅為 943 點（收市 19441 - 開市 18498），比起大跌的五月，波幅明顯收窄。若我們從經驗的觀點看，波幅收窄，引伸波幅也會收縮，六月至今的引伸波幅大多數時間都是保持在 20 以下，特別是在日波幅不足 200 點的市況，引伸波幅可以縮至 16 的水平。

　　這種市況，主動開 Short 倉要十分小心，因為引伸波幅低，期權金便宜，為了要收多些期權金，閣下可能會較為進取，選擇較為貼價的位開倉，也就是較靠近 ATM。若是沒有保護的倉，方向對，閣下只是得到合理的利潤；但若錯方向，由於是貼價，十分容易

到位,除了期權金上升,期權的按金也會上升,這都會給閣下帶來較大的心理壓力。

　　筆者在期權教室的基礎堂上一直強調要先 Long 後 Short,動態進行。這種策略是以低成本進場,所謂低成本就是用輸得起的錢,因為世上沒有穩賺不賠的買賣,投機市場更是如此。動態進行就是要有先有後,靜態同步完成 Long & Short 是較難達到較高的獲利境界。附圖 1 可見,先 Long Put 18800 以 41 點進場,因為本月開市是 19765,波幅窄,但千點波幅應該可達,所以 Long 可達之位。若方向錯,閣下可以選擇 21 點平倉離場,輸 20 點,這就是閣下的風險。若方向對,閣下可以分階段開 Short Put,但必須開在 18600 和 18400。這是一種十分保守的方法,用動態的方法做,按金要求也十分低,一套約 5 萬多,若開兩套希望按金略減,可以 Long 多一張 Put 在 18200,總體按金可以保持在約 8 萬的水平。

Name ⚠	Prev.		Net	Mkt.Prc	P/L
HSI 2012-07 18200 Put	1@34.00		1@34.00	14	-1,000.00 HKD
HSI 2012-07 18400 Put	-2@40.00		-2@40.00	24	1,600.00 HKD
HSI 2012-07 18600 Put	-2@76.00		-2@76.00	53	2,300.00 HKD
HSI 2012-07 18800 Put	2@41.00		2@41.00	113	7,200.00 HKD

(圖 1:2012 年 7 月結算前的真實 Put 倉位)

A	B	C	D	E	F	G	H	I	J
期權速算 Option Express				有效至	2012 07 31		實踐期權教室 6001專區		
今日	2012年7月26日				成績表		結算日 2012年7月30日		
預期波幅		下限	18000		2~3%/合格		本金		150,000.00
		上限	22000		3~5%/好		結算		18800
		每格	200		5~10%/開紅酒		回報	5,800.00	3.87%
已確定利潤		HK$	0.00		>10%/感謝主		結餘	155,800.00	好
http://www.practicaloption.com.hk/6001.html							以下圖表只反映到期日之損益，跨期操作需另行計算。		
月份	行使價	合約	持倉		期權金		結算價	損益	
1207	18800	p	2		41.00		18000	-4,200.00	
1207	18600	p	-2		76.00		18200	5,800.00	
1207	18400	p	-2		40.00		18400	25,800.00	
1207	18200	p	1		34.00		18600	25,800.00	
							18800	5,800.00	
							19000	5,800.00	

（圖 2：利用 Option Express/ 期權速算計算 Put 倉的風險與利潤）

　　完成了按金，再看風險與利潤（附圖 2），圖中可見，此組策略的風險區是 18000 及其下，以開市價計（19765 點）是 1800 點的跌幅（幾乎是 6 個 ATR/N 值），若認為此時是處於波幅窄的階段，這就是難達之位。最佳獲利區是在 18600 和 18400，利潤可達 25800 元。若我們估計結算價在 18800 或以上，也會有基本利潤 5800 元，達到 sure win 的境界。當然，若閣下有水晶球，知道大市會跌至 18710，不開 Short 倉，在 18710 平 Long Put 18800，最高期權金也可達 235 點。

　　上兩週本欄的內容是〈Short Call 香港〉。有讀者問：可以在何處收期權金？好問題！筆者稍後會盡力作答。

2012/08/10

這篇文章要與上篇一起看，期權的原理是用於對沖投資倉位，若我們用於投機，原則上也要有對沖的成分，不然，就是對賭。

指數期權 Long & Short + Futures

筆者在教室上課時經常強調，期權的核心就是對沖，但指數期權和股票期權的對沖物不同，我們要將指數和股票明確地分開。指數期權是以 Long & Short + Futures 做對沖，而股票期權是股票及現金做對沖。上兩週本欄的題目是〈指數波幅窄　期權 Long 為先〉，以 7 月份 Put 的現實倉位說明 Long & Short 的對沖效果。有讀者詢問為何只有 Put 沒有 Call。Smart Guy！原因是篇幅有限，又要等結算價，讓大家看到明確的損益，所以今天才寫 Call。也有朋友認為 Option Express 中的「3-5% ＝好」，定義不明，現已改為「3-5% ＝合理」，多謝提點。在此也隨帶說明，「開紅酒」＝自我表揚 / 開心慶祝，「感謝主」＝機會難得，要瀟灑地花些錢。

筆者認為，在大多數的市況下，股市下跌的速度會比上升快，從時間值考慮，Long Put 要比 Long Call 的贏面高。所以做 Put 用 Long 先行較容易掌握，而且機會也較多。但做 Call 不同，升市會較慢，用 Long 開 Call 較容易輸時間值。在指數期權的對沖物中有 Futures，Futures 是有時間性但無時間值的工具，若與收時間值的 Short 對沖是頗佳的選擇，但風險也大。

HSI19400G2	HSI 2012-07 19400 Call	-2@37.50			-2@37.50	36	150.00 HKD
HSI20000G2	HSI 2012-07 20000 Call	-1@55.00			-1@55.00	1	2,700.00 HKD
HSI20200G2	HSI 2012-07 20200 Call	-1@45.00			-1@45.00	1	2,200.00 HKD
HSI20200H2	HSI 2012-08 20200 Call	-1@102.00			-1@102.00	95	350.00 HKD
HSIU2	HSI 2012-09	2@18943.50			2@18943.50	19100	15,650.00 HKD

（圖 1：2012 年 7 月結算前的真實 Call + Futures 倉位）

　　圖 1 現實倉位可見，對沖物 Futures 有兩張 9 月的期指，在 18943 點左右買進。從風險的角度看，風險有限，因為大家在上一篇文章〈指數波幅窄　期權 Long 為先〉中可見 7 月的 Put 倉中已有兩張 Long Put，行使價是 18800，某種程度上也是保護了期指好倉，因為若 7 月底仍然下滑，反正時間值所剩無幾，閣下大可動態地平 Short Put，讓 Long Put 對沖期指好倉。大家也見倉位中有一張 8 月的 Short Call，從策略考慮，是兩張期指分別對沖 7 月和 8 月的 Short Call。今天只分析 7 月倉，若閣下有興趣可以自行分析 8 月倉。

期權速算 Option Express			有效至		2012 07 31	實踐期權教室　6001 專區	
今日	2012年7月26日				成績表	結算日 2012年7月30日	
預期波幅	下限	18800			2~3%/合格	本金	150,000.00
	上限	22800			3~5%/合理	結算	19600
	每格	200			5~10%/開紅酒	回報	13,750.00　9.17%
已確定利潤	HK$	0.00			>10%/感謝主	結餘	163,750.00　開紅酒
http://www.practicaloption.com.hk/6001.html						以下圖表只反映到期日之損益，跨期操作需另行計算。	
月份	行使價	合約	持倉	期權金		結算價	損益
1207	19400	c	-2	37.50		18800	-6,250.00
1207	20000	c	-1	55.00		19000	3,750.00
1207	20200	c	-1	45.00		19200	13,750.00
1207		f	1	19,100.00		19400	23,750.00
						19600	13,750.00
						19800	3,750.00
						20000	-6,250.00

（圖 2：利用 Option Express/ 期權速算計算 Call + Futures 倉的風險與利潤）

圖 2 Option Express 可見，合約 F (Futures) 只有一張，而且是用 19100 計算，這是因為 9 月期指當時與 7 月現貨有 150 點低水，若要用這張 9 月期指與 7 月 Short Call 對沖，就必須用 9 月期貨現貨價計算（看圖 1），這樣計算的損益可以十分準確。圖中可見，雖然有四張 Short Call，但結算要在 20000 點以上才出現虧損，若真的出現，還可以用 Put 倉的利潤平衡。至於跌至 18800 會出現的虧損，機會更微，因為若跌至 9 月期指的買進位，期指早已平倉。Call 倉也有敗筆，那是由於有對沖在手，放鬆警惕，做了兩張 Short 19400 Call，可是七月結算價為 19547，不然，多萬元進賬。

結合開倉本金總體約 15 萬來看，7 月利潤分為：Put 有 $5,800（3.87%），Call 有 $13,700（9.17%），共有 $19,500（13.04%），也就是到了要瀟灑地花些錢的地步。用 100 萬賺 1.95 萬不難，但用 15 萬賺 1.95 萬就要動些腦筋和學習技巧。

2012/09/07

期權倉位分析，基本可以看成是波幅區域。但問題是倉位，分月又要分行使價，這些是每天都會變動的數據，要每天看。在期權教室筆者稱之為「刷牙」，是每日起碼要做一次的動作。

期權倉位與波幅區域

所謂看期權倉位或期權盤路，也就是分析期權 Call/Put 各行使價（Strike）的未平倉合約（Open Interest）之變動，當然還要看不同的月份，分析各主要倉位的生成和衰減過程以及某個特定倉位突然的生成和衰減。由於要看的數據較多，而且是每天的行為，的

《期權 Long & Short》之進階篇

確是一種頗為辛苦的工作，但為了操作有把握，又不得不做。幸好筆者喜歡冷靜思考，可以將做分析研究作為嗜好，若嗜好可以每月產生正現金流，那賺錢就成了樂趣（Make happy money）。

若以歷史波幅看每月波幅，這是用正常的市況計量，也就是本文討論的問題，但不排除在特殊市況時，可以出現 3000 － 5000 點的大單邊市，任何大倉位都會被擊穿，有做保護也會虧損收場，沒有保護更是一敗塗地。所以説，世間沒有絕對賺錢的工具，期權亦然。

交易日期	Call 20600			Put 19200		
---	成交張數	倉位增減	未平倉張數	成交張數	倉位增減	未平倉張
2012/8/10	1232	59	5000	1017	-53	3285
2012/8/13	1016	-6	4994	563	102	3387
2012/8/14	2320	-343	4651	702	-46	3341
2012/8/15	1687	-50	4601	735	-86	3255
2012/8/16	2377	-436	4165	484	106	3361
2012/8/17	2054	423	4588	734	228	3589
2012/8/20	1836	158	4746	1144	-26	3563
2012/8/21	2988	663	5409	874	93	3656
2012/8/22	1688	-73	5336	1352	327	3983
2012/8/23	2234	-209	5127	1044	-134	3849
2012/8/24	885	-175	4952	1514	573	4422
2012/8/27	976	-212	4740	711	-125	4297
2012/8/28	429	-163	4577	1586	160	4457
2012/8/29	51	-3	4574	446	-123	4334
2012/8/30	33	-50	4524	42	-31	4303

（圖 1：恒指期權 8 月 20600 Call 及 19200 Put 的成交量和未平倉記錄）

今年 8 月恒生指數的波幅非常窄，最高 20300，最低 19450，實際波幅只有 850 點。開市是 19646，收市為 19482，全月只是微跌 164 點。從期權倉位看（圖 1），該

月 Call 位的大倉一直都是保持在 20600，最多時有 5409 張，Put 位的大倉一直都保持在 19200，最多時有 4457 張。因此，從盤路看，八月窄波幅是可以預期的，因為波幅區域可能只有 1400 點（20600 － 19200）。

交易日期	Call 21400			Call 20000			Put 18000		
	成交張數	倉位增減	未平倉張數	成交張數	倉位增減	未平倉張數	成交張數	倉位增減	未平倉張
2012/8/10	255	147	3048	547	273	2849	115	-12	9621
2012/8/13	53	-2	3046	81	-42	2807	422	294	9915
2012/8/14	302	55	3101	44	-2	2805	489	279	10194
2012/8/15	101	10	3111	604	367	3172	832	371	10565
2012/8/16	234	-20	3091	78	11	3183	90	3	10568
2012/8/17	102	1	3092	77	3	3186	137	44	10612
2012/8/20	127	35	3127	91	10	3196	1257	-28	10584
2012/8/21	54	5	3132	374	102	3298	525	97	10681
2012/8/22	97	23	3155	68	3	3301	249	-28	10653
2012/8/23	877	703	3858	275	14	3315	544	-105	10548
2012/8/24	1473	1226	5084	175	81	3396	297	-111	10437
2012/8/27	319	-7	5077	601	62	3458	113	4	10441
2012/8/28	163	28	5105	1255	488	3946	821	88	10529
2012/8/29	186	-8	5097	133	16	3962	179	19	10548
2012/8/30	575	111	5208	1641	-85	3877	1222	67	10615
2012/8/31	170	9	5217	960	123	4000	1087	185	10800
2012/9/3	328	45	5262	746	76	4076	1482	233	11033
2012/9/4	364	241	5503	2646	955	5031	744	-107	10926
2012/9/5	136	54	5557	994	201	5232	1414	631	11557

（圖 2：恒指期權 9 月 21400 Call、20000 Call 及 18800 Put 的成交量和未平倉記錄）

進入 9 月，目前正是上旬，第一週，我們已見 Put 位 18000 的未平倉合約已有過萬張之多（圖 2），再從倉位生成看，此位 8 月中旬已有過萬張，此刻還在增長，執筆時是 11557 張。相對 8 月，這是絕對的大位。我們再看 Call 位 21400，8 月 24 日有成交 1473 張，未平倉合約突增 1226 張，達 5084 張，令該位立即成為 9 月的最大 Call 倉。但筆者在每月底的分析講座上指出，若以此預計 9 月的波幅區域似乎太早，因為波幅區域過寬（相對 8 月），達 3400 點（21400 - 18000）。由於未平倉合約是可以隨時增減

的數據，千張增減就可以令波幅區域產生變化。我們已見 Put 位 18000 是絕對大位，不會變動，若要估算波幅區域要進入可行性範圍，我們只能預計 Call 位下移。筆者的觀點是 21400 減倉，20000 增倉，令 20000 成為 9 月的 Call 位大倉，波幅區域的可行性範圍就會是 18000 - 20000。執筆時，21400 沒有減倉，還輕微增倉，保持在 5557 張，但20000 增倉迅速，已達 5232 張，短期內會超過 21400 的機會極大。

當我們對波幅區域有了認知，在自己制定期權策略時，就懂得以波幅區域做基礎，尋找方向，做 Long & Short。如果月初就有觀點認為 9 月波幅區域就是 18000 - 20000，那 19000 就會是波幅十分有機會要達到的位置，策略的制定就可以先 Long 後 Short 做跨價對沖。但這種策略做指數期權較為適合，股票期權是另類方法，篇幅留給今後的文章再續。

2012/10/05

在《期權 Long & Short》書中有篇文章題為〈香港有股票嗎？〉，該篇文章是筆者 2009 年在大福證券任職時，與麥格理（Macquarie）的同行一起在北京清華大學學生會上演講的內容，因為看到香港股票日漸稀少，所以用該問為題。今時今日，國指期權的成交量已遠勝恒指，不但是大戶，散戶也越來越多做國指，所以要關注多些國指。

國指期權比恒指期權更值得關注

評論香港的股市，一般都以恒生指數為題，雖然國企指數日益重要，但市場的評論

關注力度似乎不是同步增長。我們從期權盤路看，期權的成交，倉位的累積，國指期權已大幅超越恒指（見表）。

10月3日期權	Call 位大倉 / 當日張數 / 最高張數	Put 位大倉 / 當日張數 / 最高張數
恒指 HSI	21000 點 /4511 張 /4861 張	20000 點 /3994 張 /3994 張
國指 HHI	10000 點 /7632 張 /7853 張	9000 點 /7036 張 /7036 張

（表：恒指期權大倉與國指期權大倉比較）

本週初，十月恒生指數的期權 Call 位大倉在 21000，目前有 4511 張，最高曾見 4861 張；而 Put 位大倉在 20000，有 3994 張，目前處於最高張數。表面看來此刻的波幅在收窄，以恒指本月開市 20600 計，會出現上穿 21000 或下破 20000 應該是必然的市況，但上穿下破後又會如何是另外一回事。所以，期權教室上月尾的堂上建議是可以用 Long 兩頭開倉，當然，一但波幅出現，閣下要如何運用策略，讓利潤最大化，則是閣下的期權功力。但整體而言，應該可以做到輸少贏多。

但我們見國企指數期權的成交更勝恒期權，不知是否 A 股的因素，十月國指期權 Call 位大倉 10000 在 9 月底已累積至 7632 張，最高曾達 7853 張，進入十月略有減倉，從波幅看，昨天收 9848，十分接近此大位，若一舉擊破，會出現明顯升幅。再看 Put 位大倉處於 9000，也有 7036 張，目前屬於最高張數。若認為 A 股見底，閣下可以考慮在該位以下開 Short Put，但由於高低大倉區域的波幅只有千點，而十月的波幅一般都較大，所以先 Long 後 Short 比較穩，但即使是用先 Short，若見方向對，都應該有後 Long 做保護。因為若穿 10000 大位後不能維持，快速回落的機會也存在。

若閣下認為國指上穿 10000 的機會高，所以恒指上穿 21000 的機會也一樣高，持有

《期權 Long & Short》之進階篇

Long Call 當然可以看多幾天，看下週國內長假期後 A 股是否出現更大的升幅。不過，內地的股市是以政策為主導，市場情緒若無國家隊全力進場，配合大成交，股市的元氣將難以恢復。本週恒指升穿 21000 點後，國指反而沒有穿 10000 點，持有好倉可以考慮略減，不要讓利潤縮水，這也符合此刻國指期權的盤路。

　　國企指數當然是反映 A 股的狀態，A 股此刻也毫無疑問是在低位，但這是不是底，市場是否會在此低位徘徊後反彈，是各位要考慮的問題。此時市場的信心是在等十八大會議後的政策，此刻的升勢是認為十八大後會有利好股市的政策。筆者的觀點是：今時今日的中國改革開放，是到了某種進退兩難的樽頸狀態，我們不能期待今年難以解決的問題，明年就可以解決，本屆政府無法有效處理的問題，下屆政府就會有辦法。也就是說，目前國內面對的難題是要持續相當一段時間，要等待有利的內因或外因出現，配合強勢政府，執行力才能有效地落實。中國之大，人口之多，問題之複雜，不是靠換一屆政府就能解決。當今世界是你中有我，我中有你，相生相剋。

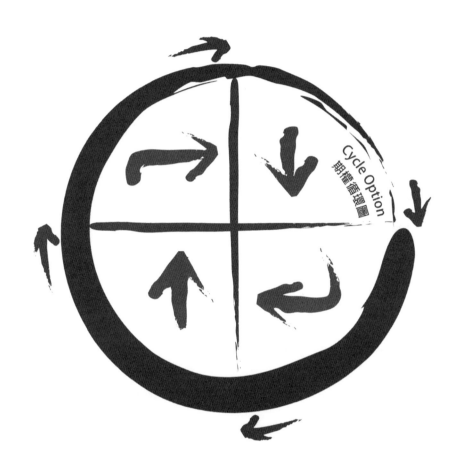

指數期權
2013

《期權 Long & Short》之進階篇

2013/01/11

　　筆者在《期權 Long & Short》書中提及（當然是本人自己的觀點），期權除了像一般金融產品是具方向性的產品外，更重要的是一個波幅性產品，個人投資者可以對標的物做出有時間性的預期波幅，按自己的觀點在波幅內操作，這樣才能將期權的效能充分發揮。因此，波幅性的數據指標必須學習，美國芝加哥的 VIX 和香港的 VHSI 都是我們要研究的對象。

看波幅指標　預測升跌幅

　　新年伊始，波幅指數波動得頗為顯著，不知是否今年的波幅要比去年高。

　　上週本欄提及恒指波幅指數 VHSI，該指數在 18 的水平有較大波動後，本週回落至近期新低。同期，美股 VIX 指數的走勢也是誇張（見圖 1），當時該指數先是急升至 23 的水平，市場上都在擔心後市，但上週卻是戲劇性地急跌至 14 的水平，一週之內高低差有 9 點以上，百分比計近 40%（9/23），波幅之巨大，實在少見（這段時間，本港的 VHSI 只是最高 18.5，最低 13.88，高低差 4.62）。有老美專家用統計法分析 VIX（見表），分析從 1986 − 2013 年間，當該指數跌穿 14 後，VIX 從一天、一週、兩週、一個月、三個月及六個月的短期表現。表中可見，該指數在大多數情況下是反彈，只有 2004 年 6 月 23 日那一次，六個月後是錄得跌幅。

　　這也就是說，當 VIX 收低於 14 時，大市多數是出現調整。

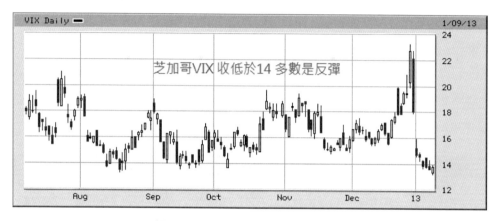

（圖 1：VIX 日綫圖—2012/07 至 2013/01）

Date	1 Day Later	1 Week Later	2 Weeks Later	1 Month Later	3 Months Later	6 Months Later
11/13/91	0.1%	46.2%	42.2%	28.2%	25.1%	11.0%
05/19/92	0.4%	3.1%	5.7%	34.1%	2.0%	9.5%
06/28/96	0.7%	20.0%	47.0%	50.1%	17.7%	39.8%
06/23/04	5.9%	2.6%	15.9%	18.0%	5.4%	-17.4%
08/13/12	8.4%	2.3%	19.3%	15.3%	21.5%	6.3%

（表：芝加哥 VIX 在跌穿 14 後的短期表現）

恒指波幅指數 /VHSI 是芝加哥 VIX 的翻版，也是以指數期權成交而衍生出來的指數，是與股市指數走勢反向的指標，多見恒指升 VHSI 跌，恒指跌 VHSI 升。但恒生指數公司的 VHSI 增多了價外期權的成分，本港股市從來都是以波幅大見稱，多些價外期權成份也十分合理。

《期權 Long & Short》之進階篇

本週二大市跌，但波幅指數不升反跌，這就是與價外期權相關（見圖2）。恒指跌218點，國指跌258點，但VHSI不升反跌（這種現象較為少見），跌0.40/2.69%，收14.49。表面看，此次大市調整的下跌波幅不會太大，因為價外期權成交不顯著，市場人士並不急於買保險。因此，在反彈市中，該指數的跌幅也不會顯著。本週三和四，恒指反彈共242點，週三107點和週四135點，VHSI週四收13.65，比週二下跌0.84。

	成交價	升跌$	升跌%	開市價	最高	最低	昨收價
VHSI	14.49	-0.40	-2.69	14.96	15.00	14.37	14.89
HSI	23111.19	-218.56	-0.94	23264.03	23264.03	23088.40	23329.75
HHI	11714.15	-258.92	-2.16	11910.20	11910.20	11690.87	11973.07

（圖2：2013年1月8日的港股當天市況）

若我們看恒指VHSI目前的表現，調整的幅度不會大，但若從美股VIX的歷史看，調整可能是必然現象。相信這對於做指數期權的朋友，可能有參考意義。

恒生指數去年（2012年）全年波幅為4662點（最高22718點 – 最低18056點），是波幅較小的一年。但今年伊始，波幅指數就頗為波動，可能2013年的波幅會比去年高。考慮到恒指過去幾年都有6000點以上的波幅，2011年有8298點（最高24468點 – 最低16170點），2010年有6017點（最高24988點 – 最低18971點），2009年更是有11755點（最高23099點 – 最低11344點）。在開年之際，波幅指數如此波動，我們預計今年有6000點以上的波幅是十分合理的。因此，按目前市場人士的預測計算，若我們認為今年可升達26000點的話，我們也要準備20000點是今年會出現的低位。

2013/04/05

　　金融夜市是環球趨勢，特別是在香港，因為資金從四面八方而來，當然有必要在祖家的交易時段為自己在港的資產做配套的動作，我們必須樂見其成。目前夜市只有期貨，若有期權，更是值得關注，也要參與其中。

　　但在期權教室的講堂上，筆者並非十分積極建議各位做夜市，這點正如在香港做美股一樣，主要考慮因素是身體健康，若日炒夜也炒，或日夜顛倒，長期如此，閣下的身體一定要付出代價，這不符合 Humanized Option Trade。

期貨夜市的期權機會與港交所股價

　　港交所下週一將推出期貨夜市，5pm - 11pm（共 6 小時），也就是先承歐洲開市，再接美股開市，11 點收工，港人可以休息。這 6 小時期貨買賣的最大特點是有 5% 的波幅控制，具體說就是跌 5% 就只能買上，不能沽落，升則反之（投機者的機會）。另外就是只有恒指和國指的大期，沒有小期（對散戶可能不方便）。

　　市場對此一直有負面意見，特別是小型經紀行和散戶。筆者的觀點認為：以全球範圍計，目前成交最多，最活躍，成交時間最長的產品（幾乎全天），可能就是金融期貨——Mini 標普，由於是細標普，散戶的參與度十分高。美國東西岸的時差較大，需要較長的時段做買賣，標普指數的代表性頗高，跟蹤該指數的人數也十分龐大。按華爾街的講法："Money never sleeps!"，所以 Mini 標普成為了期貨的代名詞，也令期貨全天買賣成為趨勢（不知港交所是否也會開全日 Mini 恒指）。

《期權 Long & Short》之進階篇

　　香港是靠海外市場的，港交所的資料顯示外資一直是港交所的主要參與者，所謂外資就是大戶，海外大戶將資金從世界各地移來香港，管理龐大的以港幣計價的資產，的確需要銜接歐美交易時段的買賣時間，萬一祖家有什麼風吹草動，在港也可以有期貨做對沖。所以，期貨夜市可以看成是為大戶對沖而設的機制。從這個觀點看，香港似乎沒有選擇，這是香港的無奈，但這是趨勢，是潮流，我們只能慢慢去適應。講得再沉重些，就是犧牲多少小型券商和散戶的利益，保持香港還剩下的競爭優勢。

　　講到期權，當然是講指數期權，筆者認為這應該是機會。因為港交所期貨夜市提供了一個可以使用期權與期貨做對沖策略的時段。簡單講，就是日市 Long 期權，夜市做期指，用對沖值（Delta）計算風險。再加上有了 5% 的波幅控制，更容易做預定策略。具體策略簡單講就是：期權 Long Put ＋揸期指，期權 Long Call ＋沽期指。指數期權的行使價是兩百點一格，在正常日波幅中可以選擇的行使價不多，但期貨則可以在波幅中的任意點數進出，靈活性和流動性都非常高。若日市做的 Long 倉方向對，在夜市時段從價外進入價內，就可用對沖值（Delta）計算準確期指入市位，完全可以電腦自行運作。若方向錯，期權金也只是損失一天的時間值和波幅，方向對就可以有期貨每點的利潤。這樣就真正做到了早些年港交所推廣期權時所用的宣傳字眼：「風險有限，利潤無限。」不過，相反的是指數期權 Short 倉風險可能會增加，但那還是期權教室的金句：「先 Long 後 Short，Long 在手 Short 風流。」沒有保護的 Short 一定要控制張數，這是市場逼你必須這樣做！期權教室會根據夜市成交情況開相關知識的講座。

2013/05/03

建議讀者結合當時的圖表看這篇文章，能用日線最好，不方便，用月線也可。這樣就可以學會如何用《期權 Long & Short》書中所講的 Raw Data 分析期權盤路及分析大市。當然，這是頗為辛苦的工作，閣下必須從中獲得樂趣。

期權策略　各自精彩

進入五月，期權教室的學員都在討論五月是 Sell 還是 Buy，如何 Away。筆者從期權的觀點看，關鍵是找到波幅，在波幅的範圍內運用『期權循環圖』制定符合自己 Long/Short 的策略。有朋友問，要如何找波幅。老實講，這是頗費心機的工作，要細心觀察大戶（成交量千張計）或大戶中的小戶（成交量百張計）的買賣活動，散戶當然是十張計。

3 月 8 日，當日恒指收 23091 點。見大戶中的小戶開 5 月期權，若是做沽馬鞍（Short Straddle），行使價選 23200，Call 位收 521 點，Put 位收 748 點，兩邊共收 1269 點（521 + 748），上行打和點是 24469 點（23200 + 1269），下行打和點是 21931 點（23200 - 1269）。若我們暫且認同這是 5 月的波幅範圍，那 21931 就可能是 5 月的低位，相反 24469 就是高位。此策略可以是以靜制動等結算，當然，若 5 月有大波幅，這種策略還有修補方法（Repair strategy），就是動態用期貨做對沖。此成交手影起碼說明了該位操盤人對 5 月波幅範圍的觀點。

4 月 18 日，當日恒指收 22013 點。見大戶中的小戶開 6 月期權，若是做勒束長倉（Long Strangle），Call 位選 22400 付 158 點，Put 位選 19400 付 160 點。若以上週五

《期權 Long & Short》之進階篇

結算計，Call 位 22400 收市 536 點，Put 位 19400 收市 27 點，此策略每套帳面可以獲利：536 - 158 - (160 - 27) = 245 點。按此操盤人的波幅預期來計算，Call 位上週五已達，此刻是否進入回落？若是，回落波幅將頗為可觀。

回到 5 月期權盤路，見成交十分疏落，Call 位大倉在 23000 只有 3445 張，Put 位大倉在 21400 更是只有 2444 張，比起上月的 7、8 千張大倉，5 月未成熟，這也說明好淡雙方還都未真正出擊，大戶未出手，我們最好等候。

相比道指，恒指此刻明顯跑輸，但是否此刻恒指便宜，可以買進，這又是見仁見智。目前美國是重拾全球的經濟增長動力，加上繼續量寬，資金流向美國不奇。日本步聯儲局後塵，也不斷推行量寬，製造低日元，股市狂升，吸引資金也很正常。港股此刻會較受冷落，可以預期。

比起恒指現貨，5 月期指低水 100 點，但 6 月期指更是低水 400 點，說明此刻不是恒指過高，就是期指過低。原因就是太多股票在 6 月除淨，若可以做到在低位 Long 6 月期指，當期指有多少利潤時開 Short Call 6 月價外，利用 400 點低水，應該是不錯的策略。

2013/05/31

在大多數市況下，美股芝加哥的 VIX 是與大市走反向（各位可以自行將 S&P 500 vs VIX 進行比較），但香港的 VHSI 與大市有時是走反向，有時是走正向，香港交易所的文字定義十分清晰（如下）。本篇文章的題目：反常，這是指走正向。

由於波幅指標是對未來 30 天做出波幅預期，對期權教室所建議的，做 30-50 天的期權，有參與意義，特別是從反向轉為正向的階段。

恒指波幅指數（VHSI）現反常

港股恒指波幅指數 VHSI 是芝加哥 VIX 的香港版，其功能與 VIX 基本相同，是以期權成交價統計而成，所以，是與期權操作相關性相當高的參考指標。整體而言，當大市下跌，該指數會上行，大市上升，該指數會下行。因此，VIX 也被稱為「恐慌指標 /Fear gauge」，用於形容大市下跌的風險。

在港交所網站（主頁 > 產品 > 衍生產品 > 股市指數產品 > 恒生指數 > 恒指波幅指數期貨）上對 VHSI 的文字定義是：

> **恒指波幅指數量度什麼？**
>
> 恒指波幅指數是反映股票市場 30 個曆日的預期波幅。指數是利用於香港交易所衍生產品市場買賣的恒指期權實時價格而計算出來。
>
> 恒指波幅指數以百分點報價。恒指波幅指數越高，反映投資者預期 30 個曆日的恒指將會大幅向上、下或兩者波動。
>
> **恒指波幅指數不一定是「恐慌指數」**
>
> 雖然恒指波幅指數常被稱為「恐慌指數」，但高指數點並不一定表示跌市。相反，恒指波幅指數是反映市場雙方面的波幅。高指數點只表示投資者預期市況將大幅度波動，而並不單指某一個方向。

恒生指數公司網站還有如下解釋（圖 1）：

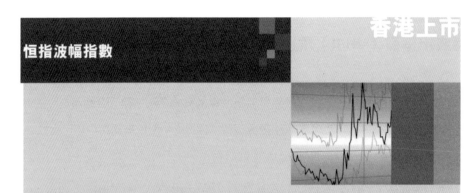

恒指波幅指數

香港上市

預期波幅是量度由相關掛鈎指數之期權價格所「引伸」出掛鈎指數的預期價格波動。恒指波幅指數旨在量度現正於香港交易及結算所有限公司衍生產品市場交易之最近期及下一期的恒生指數期權的價格中，所包含恒生指數的30個曆日預期波幅。因此，恒指波幅指數提供了一項有關恒生指數30個曆日變動之指標，從而反映香港股票市場相對日子之變動。

■ 指數計算

恒指波幅指數是以恒生指數期權價格計算及作實時發佈。其指數編算方法套用芝加哥選擇權交易所之波動指數（亦即「芝加哥選擇權交易所波動指數」或 VIX）的編算方法，惟已應香港市場的恒生指數期權之交易特性加以修訂。

指數計算涉及四個步驟：
1. 計算最相近兩個到期月份之遠期指數水平；
2. 選擇合乎資格而最相近兩個到期月份之價外認購期權及認沽期權，以分別計算最近期引伸波幅及下一期引伸波幅；
3. 代入計算所得出之最近期引伸波幅及下一期引伸波幅於算式中以計算30個曆日引伸波幅數值；然後
4. 以100乘以30個曆日引伸波幅數值從而得出恒指波幅指數數值。

恒生指數有限公司（「恒生指數公司」）領導恒指波幅指數之開發。恒生指數公司擁有、監督及發佈恒指波幅指數。恒生指數公司委任標普指數，即芝加哥選擇權交易所波動指數的授權公司，負責計算恒指波幅指數。有關計算公式及程序詳情，請瀏覽網頁www.hsi.com.hk/VolatilityIndex 的指數編算細則。

■ 應用

因為恒指波幅指數按照恒生指數預期波幅而變動，恒指波幅指數可讓市場參與者為其面對之波幅風險作對沖。

由於恒指波幅指數與股票市場狀況一般呈逆向的相關性，所以可被用作對沖股票市場的潛在下跌風險；使其成為用以分散投資組合或透過交易所買賣期貨及期權、基金或場外掉期以對沖短期波幅的一項有用的工具。

（圖 1：恒指波幅指數小冊子）

根據上述的原理，我們試分析上週恒指波幅指數的表現（見圖 2-4）。

名稱	成交價	開市價	升跌$	升跌%	最高	最低	昨收價
恆指波幅指數	16.84 ↑	16.21	+1.15	+7.33	16.85	16.19	15.69
恆生指數	23490.15 ↑	23348.74	+407.47	+1.77	23501.05	23348.74	23082.68

（圖 2：2013 年 5 月 20 日的港股當天收市前的市況）

5 月 20 日，恒指裂口高開大升，是近幾個月的新高，由於升幅大，有 407 點，如此升幅，VHSI 應該錄得跌幅，可是，出現的反常現象是該指數不跌反升，而且升幅明顯。這種反常説明了甚麼？

我們首先要看期權的 Put/Call 比例，整體成交看，Put 23009 張，Call 18235 張，Put/Call Ratio 1.26，相對近期的歷史數據，此比例明顯 Put 倉增。再細看具體倉位，Put 的成交聚焦在等價 /ATM，Put 位 23400 和 23600，而且基本上成交都是增倉。在大升的市況下做等價 Put，大多是 Long，其期權功能就是對沖，可以作為在高位鎖定利潤。我們再看期權金，Put 位 23600 的期權金平均約 375 點，因此，若 23225 失守，下跌無疑。這也就是在期權教室上課時，分析看跌的主要依據。

名稱	成交價	開市價	升跌$	升跌%	最高	最低	昨收價
恆指波幅指數	16.68	17.78	-0.16	-0.95	17.78	16.59	16.84
恆生指數	23366.37	23425.69	-126.66	-0.54	23446.00	23337.75	23493.03

（圖 3：2013 年 5 月 21 日的港股當天市況）

5 月 21 日，大市下跌，VHSI 應該上升，但還是下跌，不過十分輕微，不明顯。這是由於跌幅只有 126 點，期權成交不活躍所致，不屬於反常。

名稱	成交價	開市價	升跌$	升跌%	最高	最低	昨收價
恆指波幅指數	18.38	16.72	+2.06	+12.62	19.44	16.40	16.32
恆生指數	22669.68	23066.71	-591.40	-2.54	23123.43	22605.69	23261.08

（圖 4：2013 年 5 月 23 日的港股當天市況）

及至 5 月 23 日，大市暴跌 591 點，最深跌至 22605，當時跌幅有 656 點，VHSI 大幅上升 2.06/12.62%，這就是正常現象，因為市場上要做對沖的需求擴大，期權成交活躍。這也是為何稱該指數是「恐慌指標 /Fear gauge」，跌幅越大，指數越高。從（圖 4）分析，某種意義上講，這是該指數從出現反常現象恢復到了正常狀態。

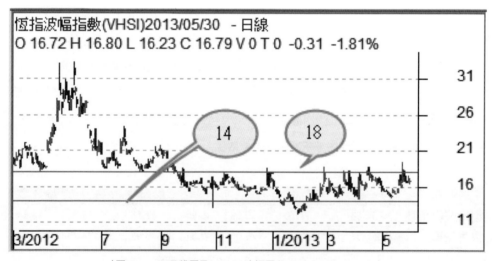

（圖 5：VHSI 日綫圖及 14-18 波幅區—2012/03 至 2013/05）

從近期的歷史波幅看該指數（見圖 5-7），下方 14 和上方 18 都頗有參考價值。筆者在教室反覆強調，若見 14，好倉可以持有，但宜減不宜增；但見 18 時，不等於可以

運用相反的策略，因為 18 通常是該指數的警戒綫，若升穿（上週最高升至 19.44），繼續上升的機會頗高，就會出現「恐慌」局面。所以，較保守的期權策略就是在該指數回落後才逐步建好倉。

（圖 6：恒指日綫圖—2013/01 至 2013/06）

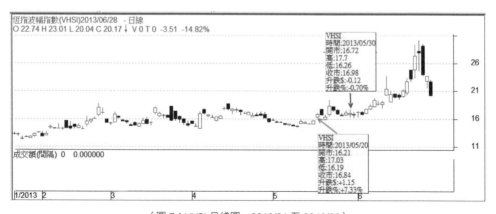

（圖 7：VHSI 日綫圖—2013/01 至 2013/06）

《期權 Long & Short》之進階篇

2013/08/09

　　在期權教室的堂上，筆者當然要經常提及恒指和國指，曾大膽質疑恒指是否還可以代表香港股市。因為從現貨市場的整體看，當然是恒指的成交量大於國指，但再細分，恒指內含的國指成分佔絕對大頭。若從這兩個指數的期貨和期權相比，更是無法比，國指遠勝恒指。因此，我們要花多些時間研究國指。

日益重要的 H 股指數期權

　　上兩週都是講股票期權，本週是時間換一換，因為本人在期權教室強調，我們必須將指數期權和股票期權分家，任何策略，應該說明是用於指數期權還是股票期權。因為整體而言，由於結算方法不同，期權策略就不可能一樣。

　　筆者在《期權 Long & Short》書中有關於 Row data 和 Raw data 的文章，Row data 是經過計算後加入人為觀點的統計分析結果（Statistical analysis），而 Raw Data 則是市場原始數據的記錄。未平倉合約就是 Raw Data，是市場行為的真實反映。分析未平倉合約是一件非常辛苦的工作，因為這是每天會變動的數據，腦袋要對數字敏感，又要對歷史數據有記憶，要快速做出分析。但這是十分有挑戰性的工作，對制定策略開倉頗為重要，筆者熱衷於此。

國指期權 8 月 7 日 Call/Put 大位的未平倉合約		
Call	行使價	Put
	9000	3480
	9200	5710
	9400	3646
	9600	5076
3037	9800	1822
5832	10000	
2980	10200	
3143	10400	

恒指期權 8 月 7 日 Call/Put 大位的未平倉合約		
Call	行使價	Put
	21000	2657
	21200	1993
	21400	2284
	21600	2123
2417	21800	2206
1552	22000	
2531	22200	
1695	22400	

（表 1：2013 年 8 月 7 日的國指和恒指期權大位未平倉合約數量）

今時今日的港股，雖然從現貨成交量看，恒指遠勝國指，8 月 8 日恒指成交 427 億，國指成交 77 億。但從兩個指數的期權成交看，國指遠勝恒指，從（表 1）中我們可見，

《期權 Long & Short》之進階篇

計至 8 月 7 日，國指的 Call/Put 大位都是在 5 千多近 6 千張，但恒指大位只有 2500 - 2600 張的水平。這種現象不只是本月獨有，而是已經持續了相當長時間。從（表 2）可見，上兩個月，港股兩大指數的 Call/Put 倉在結算前的最大倉位也見相似情況。

行使價 / 未平倉合約張數				
月份	國指 Call	國指 Put	恒指 Call	恒指 Put
6 月	10600/11530	10000/12405	23000/7669	21000/5304
7 月	10000/9230	8800/6021	23000/4788	20400/4316
8 月	10000/5613	9800/4790	22200/5016	21000/3708

（表 2：2013 年 6 月至 8 月的國指和恒指期權最大倉位合約數量比較，截至 8 月 7 日）

做分析要細緻，所以讓我們看看國指最近的大戶成交（表 3），這些都是在本月 2 日倉位正數的變動，也就是説，都是在開本月新倉。以時間與機會考量，筆者當時的分析是此大戶人家認為國指可能要下行，但以 9000 為限，很有可能是在大位（表 1）9200 點到即止，而上行則以 10200 為頂，也就是大位（表 1）10000 之上。雖然我們不能以此認定這是市場的方向，因為這只是某大戶的行為，但作為參考，則十分有價值。若從本月 2 日的股市走勢看，似乎對方向。這種倉位分析法的思維模式可以參考『期權循環圖』，筆者認為操作期權，倉位分析要比各種各樣的招式可能會更有實戰意義。

Call	行使價	Put
	9000	+800
	9800	+400
+1000	10200	
+1000	10800	

（表 3：2013 年 8 月 2 日國指期權的主要成交變動）

我們是習慣了看恒指，但由於國指期權成交勝恒指期權，國指期權日益重要，我們分析國指會較為準確。所以，若閣下可以用國指算出恒指的相關位，估計勝算頗高，但此刻看來，相關性當然強但相關位並不明顯。本月的買賣日較長，還有足足三週可以做買賣，讓我們靜觀後效。

2013/08/23

操作指數期權的迷人之處是成本低，若閣下如期權教室堂上所講是運用 Long & Short 開倉，每格（200 點）的理論成本是 10000 大元，閣下的功夫就是在這個理論成本中能賺多少。若能夠做到波幅到位，用期貨配合，則更是進入大千世界，有興趣小注無妨。

期權在波幅中操作

上兩週提及國指期權的未平倉合約遠超恒指期權，本月至今亦然，計至 8 月 21 日，看最大倉位，恒指期權 Call 位 22200 有 3602 張，Put 位 21000 有 3708 張，國指期權 Call 位 10000 有 5613 張，Put 位 9800 有 4790 張。若閣下可以與上兩週本欄的表格一起看，可能更容易理解倉位分析法。閣下有興趣研究，可以上《信報》網看本人的文章，有附表可以參考。

雖然國指期權成交遠勝恒指期權，但在現貨市場，國指的成交額卻是無法與恒指相比，這也是值得各位關注。

從數據看，國指期權此刻的大倉區域十分窄，8 月只有 200 點（Call 10000/

Put9800），相比 7 月是 1200 點（Call10000/Put8800），相比 6 月是 600 點（Call10600/Put10000）。這也是筆者早前的觀點，8 月是假期波幅。

若閣下細看國指期權即月 Call 位大倉 10000 的成交，大家可見主要成交是在期權金100-200 的範圍內，也就是說，若是 Short 倉，風險就是該位的期權金升穿 200 點。大倉當然是大戶持有，筆者認為有 5613 張就是大戶倉，理由是恒指 Call 位大倉只有 3602 張（任何數據只有在同類型的比較之下才有意義）。因此，此位在波幅中可以升穿，但難以成為結算，或者說，10200 將是明顯的阻力區。

再看即月 Put 位大倉 9800 的成交主要是在期權金 50-200 的範圍，與看 Call 一樣的道理，9600 應該是不俗的支持位。

上兩週（8 月 9 日）的文章有如下之文字：「做分析要細緻，所以讓我們看看國指最近的大戶成交，這些都是在本月 2 日倉位正數的變動，也就是說，都是在開本月新倉。以時間與機會考量，筆者當時的分析是此大戶人家認為國指可能要下行，但以 9000 為限，很有可能是在大位 9200 點到即止，而上行則以 10200 為頂，也就是大位 10000 之上。雖然我們不能以此認定這是市場的方向，因為這只是某大戶的行為，但作為參考，則十分有價值。若從本月 2 日的股市走勢看，似乎對方向。」

若對波幅有了認知，就要掌握 Time the market。在 8 月 19 日，國指價外期權有明顯波動，8 月 Put 位 9200 有 4129 張成交，未平倉合約減 2291 張。筆者的觀點是好倉在『升有限』減持，並有可能是反手，也就開 Long Put，因為期權金只有 5-6 點。

我們對波幅有了理解，又掌握了時機，第二天（8 月 20 日）就要立即行動，跟開 Long Put。當然，自己熟悉的是恒指，所以是 Long Put 恒指 21800，選擇該位的理由是

若跌穿 8 月開市 22025，21800 必達。按『期權循環圖』Long 的定義，是要進取，要選擇可達之位，而到位後的期權策略就是大千世界，自由發揮。

期待的大跌本週出現，而且有成交配合，明顯增加至 636 億，重要的是收市為 21970，明確跌穿本月開市 22025，後市只能看跌。筆者在期權教室網上的文章也提醒各位：牛皮市，成交縮，這都不是好現象，好倉應該減，特別是沒有保護的 Short Put 已有半熟，更應該吃為先！ 若已吃，此刻就非常輕鬆，可以擇肥再吃，也就是再 Short Put 一次，若有 Long Put 在手更是 Short 風流。

在波幅中操作期權，關鍵是看倉位，但倉位的變化也可以快如脫兔，特別是指倉位的未平倉合約不多的情況下，變化更是神速。8 月 21 日恒指 Call 位 21800 有 5016 張，是本月 Call 位大倉，但 22 日該位成交 4333 張，倉位大減 1827 張至 3189 張，反而 22200 成交 4591 張，倉位大增 1287 張達 3602，成為本月大倉。不知是否這又會是下週的反彈位。

期權是難賺錢的工具，難在策略變化萬千，因人而異，但這也正是其魅力之所在。

2013/12/13

預期波幅是操作期權的致勝之道，我們對波幅要有一定的觀點，此文是寫在 2013 年底，討論的是 2014 年的波幅，各位可以參考年線圖，看筆者這種分析方法是否可行。此文當時也是作為回答教室學員的問題，以及在講堂上做分析波幅之用。

　　雖然是討論全年的波幅，但筆者還是建議做 30-50 天的期權，小心翼翼，對市場保持警惕，過程也充滿樂趣。

預計波幅與期權實際操作

　　每年到了 12 月，媒體都會報導各大行及眾名人對明年的預測，由於波幅是期權獲利的關鍵，操作期權的朋友都頗為關心。本欄 2008 年有文章題為〈曾被尊崇今揶揄〉（《期權 Long & Short》書中有收錄此篇文章），提及備受尊敬的《信報》專欄作家曹仁超先生，曹先生近期最牛氣的預測是 2014 年恒生指數可以升至 31000 點。因此筆者也收一些客戶諮詢，問若波幅可達，期權策略應該如何制定。

　　筆者的觀點是，該預測距離此刻還有 7782 點（以恒指昨天收 23218 計），若從年波幅看，以 10 年波幅計（見表中年波幅一行），是有機會達此位，因為以年計，波幅有 7000 點以上十分正常，過去 10 年有 5 年波幅超過 7000 點，但要留意的是該預期的距離 7782 點必須是升幅才可達 31000，這種現象只有 2007 和 2009 出現過（見表中年升跌幅一行）。

恒指 HSI					年波幅	年升跌幅
年	開	高	低	收	（年高 － 年低）	（年收 － 年開）
2000	17058	18396	13597	15096	4799	-1962
2001	15090	16275	8894	11397	7381	-3693
2002	11368	12022	8772	9321	3250	-2047
2003	9334	12741	8332	12576	4409	+3242
2004	12665	14339	10918	14230	3421	+1565
2005	14216	15509	13321	14876	2188	+660
2006	14844	20049	14844	19965	5205	+5121
2007	20005	31958	18659	27813	13299	+7808
2008	27632	27854	10676	14387	17178	-13245
2009	14448	23100	11345	21873	11755	+7425
2010	21860	24989	18972	23035	6017	+1175
2011	23136	24469	16170	18434	8299	-4702
2012	18771	22719	18056	22657	4663	+3886
2013	22860	24112	19426	23218	4686	+358

註：2013 年數據截至 2013/12/12

（表：恒指年波幅及年升跌幅—2000 至 2013 年）

　　若閣下認為升到此位的機會率極高，理論上的期權操作，可以 Long Call 2014 年 12 月 30000 點行使價，只要期權金不超過 1000 點都具有值博率，因為波幅到達時，該合約期權金的內在值已有 1000 點，一定會有利潤，若不到位，閣下的最大損失也就是付出的期權金。若在明年底之前的任何時段升至 31000 點，閣下除了內在值的利潤外還會有時間值的利潤，所以要做 2014 年 12 月，確保不失。2014 年 12 月 Call 位 30000 昨天沒

有成交，但 29000 有 5 張（見圖，典型散戶），期權金 180-190 點，若有心做 30000，150 點左右可以有交易。因此，這種理論操作策略完全可行。

代號：	HSI29000L4	12/12/2013 ▼	1 ▼	請求

時間	成交量	成交價
12/12 14:27:24	1	190.00
12/12 13:19:07	1	190.00
12/12 13:04:49	1	180.00
12/12 10:53:16	1	180.00
12/12 10:07:10	1	180.00

（圖：2013 年 12 月 12 日開倉的 2014 年 12 月恒指 29000 Call，此期權年期長達一年）

　　但在我們實際的操作中，對大多數散戶而言，是追求每月產生正現金流為目而操作期權的，是要面對每月的結算，以每月為時間段檢查自己的操作成績。期權教室的講法是做 30-50 天的期權，也就是即月，下月，最多是再下月，除非是特殊情況。科斯托蘭尼經常以開車做比喻，開車時眼睛不能總是看車頭，太近沒有方向，也不能總是看遠方，忽略了周邊危險，所以要看 20-30 米的距離。從開車的角度講，這種距離可以令閣下駕駛車輛得心應手。

　　為了做好這 30-50 天的期權，筆者認為除了參考專家的預期波幅，還可以看行使價成交和未平倉合約的變化做波幅分析（可能這是期權操作的優勢），因為行使價顯示了波幅預期，我們可以跟據未平倉合約的變動，動態地制定我們的策略。

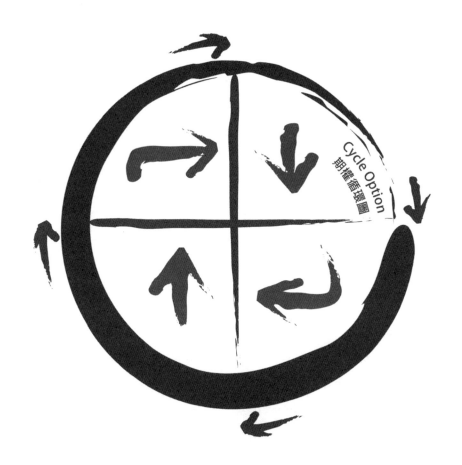

Cycle Option
期權循環圖

指數期權
2014

《期權 Long & Short》之進階篇

2014/02/07

　　上過期權教室堂的朋友一定會體會到此文個案的精彩之處，就是動態！期權的槓桿力人人都知，但用得淋漓盡致，必須動態做。雖然筆者是動態操作的鼓吹者，但深知難度較大，並非人人都可以勝任。所以，若覺得動態操作壓力大，完全可以靜態做，只不過不夠過癮。

　　《信報》原文當時筆者誤抄 1 月份期貨的結算價，幸得助手 Frandix 指出，並在下一篇專欄中更正（本文中則已作修正）。在此提醒各位，香港指數期貨及期權的結算價是以現貨指數於最後交易日每 5 分鐘的取樣平均值為基準，當日收市後期交所也會有公佈。

倍增投資力量　　操作期權 Long & Short

　　上月初，本欄有文章題為〈新年長空　期權快樂〉。文章內容是提及去年 12 月看淡大市，期權用 Long Put 進場，目標是看 22600，因為大戶人家在牛證 22600 有大量不斷累積的倉位，只要有誘因，市場趨勢形成，第一站就到的機會十分高，所以策略是到位平倉獲利，也就是將 Long Put 22600（成本 95 點）在波幅到達 22600 時以市價（Market price）300 點平倉，獲利 205 點。同時，筆者還有一張 Long Put 1 月的 22400 在手（見圖）。各位看官可以察覺，這個組合都是一月份期權，具體策略是 Short Call + Long Put + Short Put，這似乎是某種似曾相識的標準期權招式。但若閣下看的仔細，你一定會察覺到，組合的張數完全不配合，不符合所謂招式的對稱做法。若再看持倉的期權金，你還會發覺，以持倉計，這個組合不可能同時完成。

　　的確如此，這正是期權教室在堂上所建議的策略組合，按『期權循環圖』的變動方向，

動態完成！

代號	名稱	上日持倉	存取	今日長倉	今日短倉	今日淨倉	淨倉
HSI22000M4	恆指 2014-01 22000 Put	-5@98.00					-5@98.00
HSI22400M4	恆指 2014-01 22400 Put	1@65.00					1@65.00
HSI24200A4	恆指 2014-01 24200 Call	-2@75.00					-2@75.00

（圖：具體 1 月倉位。註：此圖中的 Long Put 22600 @ 95 點已在 300 點平倉）

我們從期權金和時間上看，第一步是做 Short Call 24200，先取 150（75×2）點期權金；第二步是在機會合適的時刻，開 Long Put；第三步是完成 Short Put（這就是按方向）。

先看風險，若將 Long Put 22600 的 95 點加上 Long Put 22400 的 65 點，合共也只是 160 點，即使兩張 Long Put 全部變廢紙，在 Short Call 補助下也只是損失 10 點（Short Call 收 150，Long Put 付 160），絕不會心痛。在持有 Long Put 的時間，心態頗為重要，因為利潤當前，是獲利平倉，還是等，這絕對考功夫。這也是《期權 Long & Short》書中所提及的：進場是徒弟，離場是師傅。筆者的離場觀點是：由於我們不具備對後市的預測能力，應該部分獲利離場，鎖定利潤（所以平 Long Put 22600），因為萬一市況與持倉走勢相反，有利而未獲，後悔的心情一定會損害健康，不符合 Humanized Option Trade。

期權是用按金（Margin）操作的（期權教室講指數期權有 15+3 的備用金原則），開 Short 是用按金收取期權金，按金是根據每日收市價而定，也就是說，按金一定是處於波動狀態。但若能做到 Long 近 Short 遠（以等價 ATM 計），先 Long 後 Short，所需按金就可以大幅降低，而且盈虧基本鎖定。如圖，Long 22400 Short 22000，是做到了 Long 近 Short 遠，先 Long 後 Short，雖然是開 5 張 Short Put，但按金大減，因為在開 Short Put

《期權 Long & Short》之進階篇

22000 時 Long Put 22400 已進入內在值，提供了明顯的槓桿力量（Leverage）給 Short Put 倉。講得具體些，籌劃這樣的組合，若能按期權教室所講要有備用金的原則，不用 30 萬就可以操作，是巧妙地運用 Long 的 Leverage，這實在是非期權莫屬。

更有期權趣味的是操作期權的打和點（Breakeven Point），若從最具風險的 Short 倉計，Short Put 22000 收 98 點期權金，其打和點是 22000－98 ＝ 21902。但從動態的觀點看期權，若跌至 21900，Long Put 22400 是極度深入價內，可以提供 500 點的內在值給 Short Put 倉，倍增 Short Put 倉的持倉能力，若 Long Put 倉能提供給 Short Put 倉每張 100 點的利潤，就等於將打和點推低至 21800 的位置（期權教室網頁的客戶專區有為這種計算而設計的軟件 Option Express 可供客戶使用）。由於 22000 是大位，易守難攻，易到難破，所以再給 200 點左右的緩衝區做保險（22000－200 ＝ 21800），持這種組合倉應該是安全的，特別是臨結算前不久。

上月恒生指數的結算價是 22182 點，我們可以仔細分析持這個組合倉的結果：

Short Call ：75×2 ＝ 150
Long Put ：(22400－22182)－65 ＝ 153
Short Put ：98×5 ＝ 490
Total ：(150 ＋ 153 ＋ 490) × 50 ＝ $39,650

若再加上中途平 Long Put 22600 的利潤，則還有（300－95）×50 ＝ $10,250

看官閣下若滿意這種月收入（$39,650 ＋ $10,250 ＝ $49,900），不妨聽聽期權教室是如何講解動態期權操作方法，因為傳統的所謂期權招式是較少有機會達到這樣操作期權的境界：不單是賺錢，還充滿樂趣，可增加自信，有益身心。

　　以上是一月的成績單，此刻是二月剛開始，市況是單邊下跌還是先跌後回穩，不知。但筆者的策略是略為偏好，站在牛營後方（因為期權可以選擇）。美聯儲第一位女主席耶倫在馬年走馬上任之際，美股突然殺出一個下馬威，大跌 300 點。但筆者認為，這不應該影響美股此刻在全球的優勢地位，也不會改變此刻持股票勝於其他資產的基本因素。筆者看好耶倫，所為霸權帝國的女性金融掌舵人雖然矮小但精幹無比，而且眼睛總是充滿智慧和自信，所以在港股大跌 600 點之際，採用的策略是 Short Put ＋ Long Call 應市。

　　行文至此，筆者對香港交易所近年推廣期權的口號十分欣賞：「倍增投資力量 / Leverage your investment power 」，這句口號比起早些年的「Long 是風險有限利無限，Short 是風險無限利有限。」不知正確幾多。馬年開年之際，筆者在此恭祝港交所期權部門再接再厲，做足功夫，令港股期權成交在馬年跑出，不單是頭馬，還要成天馬！

2014/02/21

　　這是上篇的連續篇，關鍵是講動態完成開倉（如上篇文的開倉方法），也要動態完成平倉（如本文的『半熟牛扒』）。至於如何提高利潤，就是要降低保費，所以有文字是：有風險買保險，沒風險不需買，買後風險過就棄保險。

期權策略動態完成

　　上篇文章講指數期權，可能是寫得較為細膩，收到不少讀者及期權教室學員的讚賞，筆者頗為高興。有一篇是帶著問題而來，十分認真，摘錄如下供大家參考。其實，本人

《期權 Long & Short》之進階篇

最開心的就是見到各位看了期權教室的文章而賺到期權金。

To Sir,

Thank you so much for sharing your insight on your Jan trades!!! I really appreciate your sharing because I learn a lot from it. Hopefully, I can improve myself on my trades in the future.

However, after I have studied your trades a few times, I have 2 questions:

......

I would be very glad, if you could give me a feedback on my 2 questions.

Thank you in advance!

Best regards,

Victor

筆者回答 Victor 是希望他理解為何要動態做，如何有風險買保險，沒風險不需買，買後風險過就棄保險。期權策略應該動態操作，這樣可以靈活控制風險。若保持將倉位放進 Option Express（期權教室的期權盈虧測試軟件）常做檢測，信心會更強。

本月的亮點可能是 VHSI/ 恒指波幅指數的異常變動。2012 年 6 月港交所推出該指數時，本欄就有文章題為〈學波幅指數　謀期權策略〉。建議期權操作者要多些留意這個波幅指數，因為期權是波幅性產品，是要在波幅中取利。各位看官可以見今天的附圖，筆者當日的網上文章提及：「牛皮偏軟成交縮，但出現的異象是在大市跌 57 點的情況下，恒指波幅指數跌 1.12% 至 19.51，若再跌低至 18 或以下，此波跌浪可能暫時告一段落。

是否會上升，不知，但最起碼好倉可以守。」

	名稱	成交價	開市價	升跌$	升跌%	最高	最低	昨收價
VHSI	恆指波幅指數	19.51		-0.22	-1.12	20.09	19.07	19.73
HSI	恆生指數	21579.26	21646.75	-57.59	-0.27	21687.84	21524.81	21636.85

（圖：2014 年 2 月 10 日的港股當天市況）

在這種市況下應該開什麼倉，這些在期權教室堂上講『期權循環圖』時都有説明，原則上就是要動態完成策略。不過，若閣下看過筆者的《期權 Long & Short》也會明白得七七八八。要在期權市場有『三茶兩飯』的水平，也就是追求每月 2 - 3% 的正現金流，應該可以達到。本人講的是任何市況，不論升市還是跌市還是橫行，若不能在任何市況下獲利，就不是期權操作者追求的絕對回報。

本週美股是焦點，公佈業績，發放股息，消息多羅羅。筆者認為，美股的業績應該都不錯，企業的盈利能力在低息環境下都會有所提升，市場可以有一段樂觀期，所以美股有機會建雙頂，也就是説道指有機會再敲 16500 點的水平，然後才定去向。本欄上篇文章提及用 Short Put + Long Call 應市，雖然昨天恒指大跌 270，但由於有吃『半熟牛扒』的原則，部分 Short Put 已平倉，剩下的價外 Short 此刻是坐等收成。當然，經此一跌，Long 的 Leverage 就發揮得不夠充分。

下月初北京開會，要批 2014 年的預算，內地的事務實在太複雜，難以分析。科斯托蘭尼認為做分析後就要實踐，也就是要落場，若只是做分析，充其量也只不過是股市報導員。筆者自認能力有限，所以最好的策略就是無策略，所謂無策略，就是「摸著石頭過河」，跟著趨勢走。

《期權 Long & Short》之進階篇

2014/06/27

　　筆者在期權教室堂上強調：期權是波幅性產品，要利用波幅去獲利。若閣下認同，那有關波幅的指標都要留意。最傳統的波幅指標是 VIX，跟著有 VHSI、IV、ATR/N 等等。讀完此篇，若想回味，還可翻看筆者在《期權 Long & Short》書中另一篇文章題為〈懂得運用引伸波幅　才算炒得 Smart！〉

VHSI 與 IV

　　2011 年 2 月 21 日恒生指數有限公司推出恒指波幅指數（VHSI），給市場上的期權操作者提供了一個以期權成交為量化依據的波幅指標，港交所（388）也於 2012 年 2 月推出恒指波幅指數期貨，該指數期貨具備三個月的買賣報價。執筆之時，6 月的未平倉合約只有 52 張，7 月只有 2 張，8 月更得 1 張，成交低。不過這個波幅指數期貨大有來頭，恒指是每點 50 元 / 大期按金 86950，而 VHSI 是每點 5000 元 / 每手按金 21500，絕對是以小博大，但買賣的波動單位是 0.05，也就是説每個波動單位 250 元。由於波幅指數期貨買賣欠奉，市場報導鮮見。筆者的觀點是，該指數的數據來源是從期權即時成交而得，但確難與期權倉位直接對沖，實用性偏低，成交有待觀察。

VHSI 抵達超低的 11.27

　　簡單講 VHSI 與 HSI 是相反關係，筆者早前也有文章分析數據異象帶給我們的機會，但要再進一步分析該指數，我們要看看該指數的源處。VHSI 以 V 開頭，這是代表美國芝加哥期權交易所（CBOE）的波動指數 VIX，因為恒生指數公司正是採用 VIX 的計算程式及買賣模式，只是在價外期權上略有修改。VIX 俗稱「恐懼指標（Fear gauge）」，當市

場人士對未來 30 天的市況毫不擔心時，也就沒有必要用期權做對沖，該指數就會不斷下跌；若對市場擔憂，要 Long Put 買保險，該指數就上升，而且通常是急升。

港交所自 VHSI 推出以來，最高是 2011 年 8 月（歐債危機）所創下的 58.61，而本週則見最低，達 11.27。但該指數走低不等於指數會不斷創新高，較合理的解釋可以是認為大市不會有大跌的風險，可以放心持倉。事實上，恒指近期的最高位是 2013 年 12 月 2 日 24111，而當日的 VHSI 最低是 15.42。

目前的 VHSI 低位是 12，是處在不擔心市況會大幅下跌的時段，與其配合的是成交持續偏低，這可能是説明市場持貨人士在此水平不是太願意沽出，因為持倉安全，但沒有貨在手的市場人士也是不太願意在此水平買進，或是少量買進，同時等待更低的價格。

VHSI 與引伸波幅（IV）是拍檔

當 VHSI 走低，IV 也會跟隨，因為沒有人擔心會下跌，當然就不願意給錢開 Long 作對沖，隨之而來的 IV 也就不會走高。IV 是衡量期權金的有效工具，而且是即時的數據，但是在不同行使價的反映會不同，理論數據大多以等價為準。本月恒指的等價 IV 也是處於較低的水平，基本與 VHSI 同步，最低見 11.50，IV 偏低，若是以 Short 倉為主導，不論 Call/ Put 都要承受較大的風險，指數期權的風險增高。

在期權教室堂上講 IV 是：「波幅大/IV 高/期權金漲，波幅小/IV 低/期權金縮。」因此，我們開 Short 應該考慮 IV 的因素，附圖是將 VHSI 與港交所（388）及長城汽車（2333）的 IV 相比，在這種低波幅的市況下，筆者認為應該選擇開 Short 長城汽車，這個觀點本欄在月初的文章中也有提及，若讀者有研究期權，閣下會發覺即使股票價格接近原位，

《期權 Long & Short》之進階篇

但由於 IV 回落，Short Put 倉的期權金已收縮 50% 以上。長城汽車 IV 回落，但港交所的
IV 回落得更厲害，筆者曾建議 Short Call 150 的官價，應該都是利潤。所以，觀察 IV 是
期權操作者必須留意的數據。

　　港交所（388）這幾年推廣期權非常努力，下月起股票期權又多三位新成員：中國信
達（1359）、保利協鑫能源（3800）和金山軟件（3888），2014 年 7 月 2 日（星期三）
開始買賣，各位不妨留意當天的 IV，看它們是 Long 股還是 Short 股。

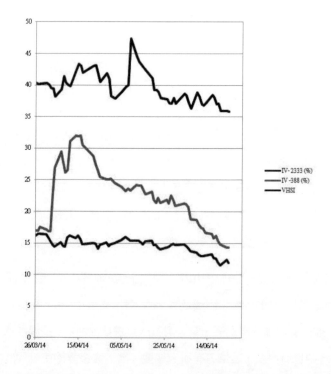

（圖：最上方為長城汽車 (2333) 的 IV，中間為港交所 (388) 的 IV，最下方為恒指波幅指數 (VHSI)

2014/08/08

在期權教室聽過筆者授課的學員一定記得,筆者比較提倡動態做期權,當然,動態不是每個人都能掌握,若用靜態,比較簡單,但要盡量避免開 Long Short 的陷阱。這個問題需要頗長的篇幅解釋,通常只能在教室堂上完成,整體而言,張數不能多,Short 位要有 200 點,這樣才保險。

指數期權的陷阱

在筆者過往的文章有題為〈Long 在手 Short 風流〉。主要是講做指數期權要有 Long 有 Short,若是動態做,一般是先 Long 後 Short,若能做到 IV 低時開 Long,IV 升時開 Short,這種組合會非常完美。但也可以是先 Short 後 Long,在 IV 高漲時開 Short,IV 平靜時開 Long,反正就是 Short 要有 Long 做保護為原則,但動態方法做時間消耗較大,對自己的判斷力也有壓力。若是靜態做,基本無需看數據,在同一時間 Long 和 Short 一起完成,比較省時省力。

這裡講的跨價策略,不論動態或靜態,利潤就是一格,即 Long & Short 之間的價差,價差當然是指 Short 大於 Long(Credit Spread),也就是收多付少。指數期權的一格,就是 200 點,每點 50 元就是 10,000 元,輸贏就在萬元之中,按金也約需萬元左右。若是多格,策略不同,也難以在此建議。

在一般情況下,靜態多數可以做到 Long 25 / Short 50,有 25 點的利潤。但若判斷正確,動態可以做到 Long 25 / Short 75,有 50 點的利潤,但做動態會出現判斷有誤,若發生,就要有補救的策略(補救策略是另一個話題)。

《期權 Long & Short》之進階篇

　　靜態開倉通常是先開一個方向，比如説是先開 Call，完成後再開 Put，若成功將 Call 和 Put 的 Long & Short 建倉完成，也就形成了鐵禿鷹（Iron Condor）。若是動態開，則很可能是在高位時先開 Short Call 和 Long Put，見有回落時再開 Long Call 和 Short Put，也是鐵禿鷹。開這種倉，操作者要計算的就是要對大市的結算價要有基本觀點，認為大市結算時會升不穿 Short Call 位和跌不穿 Short Put 位，但若判斷出錯，就要靠 Long 令倉位處於輸有限的狀態。

　　開這種倉，筆者的看法是建倉容易拆倉難，中途拆倉不慎，很容易將僅有的利潤還給市場，所以最好是持倉至結算。但這種禿鷹是否夠鐵，夠硬，是否不輸呢？ 我們可以在軟件 Option Express/ 期權速算看盈虧。

　　以八月計，若將波幅預計在 2000 點範圍內，上看 25400，下看 23400，應該可以接受。本月初可以輕易地開鐵禿鷹如圖（圖 1），若升跌都在 Short 的範圍內，利潤有 $2,500（一套計），但不等於沒有風險。若升穿或跌穿，風險雖然有限，但還是有機會損失 $7,500（一套計）。開這種倉由於按金便宜，會令人越開越多，一旦單邊市，損失也可以非常嚴重。理論上講，波幅到 Short 位時可以用期貨做動態對沖，也就是升穿揸期指，跌穿沽期指，但動態對沖的操作方法不是人人能做到，必須具備相當好的心理質素及操作技巧。因為閣下手上只有 50 點的利潤，若指數到升至 25400，閣下揸期指，指數一直上升還好，若跌 50 點，閣下的期權利潤就等於零。跌至 23400 也是如此。

香港期權教室 HK Option Class						今日	6/8/2014		本金	
期權速算 Option Express v2014.08.01						有效期至	31/8/2014		預期結算價	
相關指數	恒指 HSI		結算月份	2014/08		預期波幅	下限	23000	預期回報	
認購期權 Call							每格	200	預期回報率	
合約月份	行使價	倉位	平均期權金	備註			上限	27000	預期成績	
2014/08	25600	1.0@	50							
2014/08	25400	-1.0@	75				點	點	點	$50/點
2014/08						結算價	Call	Put	Futures	整體損益
2014/08						23000	25	-175	0	($7,500)
認沽期權 Put						23200	25	-175	0	($7,500)
合約月份	行使價	倉位	平均期權金	備註		23400	25	25	0	$2,500
2014/08	23200	1.0@	60			25400	25	25	0	$2,500
2014/08	23400	-1.0@	85			25600	-175	25	0	($7,500)
2014/08						25800	-175	25	0	($7,500)

（圖 1：利用 Option Express/ 期權速算計算靜態開鐵禿鷹 /Iron-Condor 的風險與利潤）

鐵禿鷹可以非常鐵嗎？可以（如圖 2），但 Short 位不論 Call / Put 都要有 200 點便可，利潤範圍是 $4,500 － $14,500，這就是期權教室堂上所講的：200 點的陷阱與技巧。這是穩賺的策略，當然是要動態完成，建倉不易，但一旦建成，還可以靈活拆倉再建倉，技巧性頗高。最關鍵的是：只要開頭能做出這種倉，就可以不必再看市也無需為出現風險時頭痛。

香港期權教室 HK Option Class						今日	7/8/2014		本金	
期權速算 Option Express v2014.08.01						有效期至	31/8/2014		預期結算價	
相關指數	恒指 HSI		結算月份	2014/08		預期波幅	下限	23000	預期回報	
認購期權 Call							每格	200	預期回報率	
合約月份	行使價	倉位	平均期權金	備註			上限	27000	預期成績	
2014/08	25600	1.0@	50							
2014/08	25400	-1.0@	200				點	點	點	$50/點
2014/08						結算價	Call	Put	Futures	整體損益
2014/08						23000	150	-60	0	$4,500
認沽期權 Put						23200	150	-60	0	$4,500
合約月份	行使價	倉位	平均期權金	備註		23400	150	140	0	$14,500
2014/08	23200	1.0@	60			25400	150	140	0	$14,500
2014/08	23400	-1.0@	200			25600	-50	140	0	$4,500
2014/08						25800	-50	140	0	$4,500
2014/08										

（圖 2：利用 Option Express/ 期權速算計算動態開鐵禿鷹 /Iron-Condor 的風險與利潤）

2014/08/22

　　做指數期權是頗有趣的智力遊戲，是小錢賺大錢的地方，但要花的腦力不會少，關鍵看閣下是否適合。在指數期權的大千世界，幾乎沒有什麼是不能，策略的千變萬化可以令人眼花繚亂。雖然筆者喜歡，但請讀者衡量自身的條件，看是做股票期權好還是做指數期權好。

指數期權的日曆對沖

　　上兩週的文章提及本月初用 2000 點的波幅區域開 Call/Put 的鐵禿鷹，文章引來一些讀者的興趣。有些人認為每邊只收 25 點，合共兩邊 50 點，這樣的利潤太少。有個別提出同樣是以 2000 點的波幅緩衝區域，Call 和 Put 都用同一個行使價，但 Long 即月 Short 下月，是否可行。

　　按此要求，鐵禿鷹變成是跨月，可以做到是：Long Call 25400/Aug（付 75 點）+ Short Call 25400/Sep（收 200 點） 和 Long Put 23400/Aug（付 85 點） + Short Put 23400/Sep（收 200 點）。不過這套倉是否夠「鐵」，難說。利潤未知，風險未明，筆者的分析如下。

　　利潤太少，這是指原本的一套只有 50 點而言。這個問題筆者在期權教室指數期權的最後一堂有明確的解釋：若認為少，就要有多的具體數字或者是自己滿意的數字，但這個數字必須是在市場上通常都能獲得的，所以期權教室的計算軟件 OptionExpress 有百分比，令閣下知道自己在做什麼。由於開一套的按金只需一萬左右，而且最終風險有限，若十萬的倉做兩套，也就是有 50 點 × 2 套 × 50 元＝ 5,000 元的平安利潤，如利潤目

標是 5%/ 月計，應該滿意。

　　時間值的變化規律，如（圖 1），期權的時間值是進入本月，特別是本月中後才會出現快速收縮，但對下月或遠期月份則收縮得很有限，若發現 Short 遠期的期權金收縮得快，一般都是做對方向，是波幅所致，並非時間值收縮。8 月初可以輕易開的個案是收 50 點的鐵禿鷹，四個倉位（俗稱四個腳）都是本月，收縮同步，有風險，但都是可預計的，是有限度的風險。

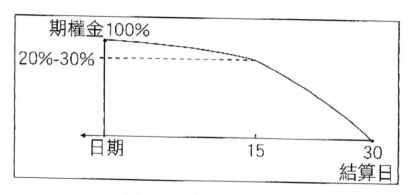

（圖 1：時間值大約衰減週期圖）

　　做期權是有日曆對沖（Calendar Hedge or Calendar Spread），可以是 Long 遠月 Short 近月，也可以是 Long 近月 Short 遠月。大多數情況下是使用前者，特別是對波幅變動有明確的觀點時，認為 Long 的倉位近月不到，但遠月必達，在未到之前，先收近月的期權金。若信心足，堅守這種倉，有時會有意想不到的結局。但後者（如 Call/Put 各收 200 點的跨月倉位）則較少使用，因為這與風險有關。這種倉一旦進入月中，波幅出現，即月的時間值處於下降期，但下月的時間值正是豐盛期，造成即月 Long 上升乏力，下月

Short 急劇上升，持這種倉會給自己帶來壓力，因為不知會有多少風險，張數多會十分麻煩，而且是不論 Call/Put 都要守足一個月，所以筆者不建議採用。當然，有朋友會提出到時用遠期的期貨對沖，這完全可行，但這也是上篇文章所提出的問題，閣下必須具備相當好的心理質素及操作技巧。

各位讀者可以在下週四的結算日自行計算（筆者不在香港），看這套跨月鐵禿鷹的最終利潤是否明顯高於即月鐵禿鷹的 50 點，若結算是在這 2000 點之內（23400 - 25400），具體計算方法是 （Sep Short Call 254 收 200 - Aug 28 日結算價）- Aug Long Call 75 + （Sep Short Put 234 收 200 - Aug28 日結算價）- Aug Long Put 85 ＝ 最終利潤。

不過，想開這種跨月倉的主因是嫌即月的利潤低。筆者認為，既然願意承擔多些風險做跨月，不如開即月但做兩格，就是 Call Long 25600 Short 25200 + Put Long 23200 Short 23600 將 2000 點的緩衝區域收窄成 1600 點（23600 - 25200），這種倉的利潤應該會從 50 點翻倍至 100 點等於 5,000 元，只是風險同樣從 7,500 翻倍至 15,000 元，但勝在事前已知有限的風險（見圖 2）。

香港期權教室 HK Option Class				
期權速算 Option Express v2014.08.01				
相關指數	恒指 HSI		結算月份	2014/08
認購期權 Call				
合約月份	行使價	倉位	平均期權金	備註
2014/08	25600	1.0@	50	
2014/08	25200	-1.0@	100	
2014/08				
2014/08				
認沽期權 Put				
合約月份	行使價	倉位	平均期權金	備註
2014/08	23200	1.0@	60	
2014/08	23600	-1.0@	110	
2014/08				
2014/08				

今日	21/8/2014		本金	
有效期至	31/8/2014		預期結算價	
預期波幅	下限	23000	預期回報	
	每格	200	預期回報率	
	上限	27000	預期成績	

	點	點	點	$50/點
結算價	Call	Put	Futures	整體損益
23000	50	-350	0	($15,000)
23200	50	-350	0	($15,000)
23400	50	-150	0	($5,000)
23600	50	50	0	$5,000
25200	50	50	0	$5,000
25400	-150	50	0	($5,000)
25600	-350	50	0	($15,000)
25800	-350	50	0	($15,000)

（圖 2：利用 Option Express/ 期權速算計算隔兩格行使價的鐵禿鷹 /Iron-Condor 的風險與利潤）

下週筆者離港是受香港交易所邀請作為講者，赴台灣推廣港股期貨期權，連講數場。若各位讀者認同本人的期貨期權理念，請給予正能量，祝福此行成功。

《期權 Long & Short》之進階篇

2014/09/19

　　筆者一直強調要留神波幅指數（VHSI 只是其中之一），因為這是以期權成交而來的數據。但從歷史數據中比較，VHSI 經常出現同步現象，與其母體 VIX 的基本原理有別，有時令人費解。但若作為未來波幅預計，可升也可跌，無疑是頗具參考價值。以下兩篇是姐妹篇，要一氣讀完。

VHSI 與 HSI 的同步現象

　　筆者在期權教室堂上講，期權與普通金融產品一樣，當然有方向性，但操作期權更重要的是操作預期波幅，所以應該將期權視為波幅性產品。在香港，最重要的波幅指標應該是 VHSI（恒指波幅指數）和 IV（引伸波幅）。

　　香港的 VHSI 是美國 VIX 的翻版，是用以反映指數期貨的波動程度，測量未來三十天市場預期的波動程度，通常用來評估未來風險，因此 VIX 也有人稱之為恐慌指數。VIX 指數雖然是預期未來三十天的波動程度的指標，但指數是以年度計算的百分比。近期有大行報告認為恒指一年內看 30000 點，筆者當然不會知道大行報告的計算內涵，但從公佈的時間段看，當時的恒指是在 25300 的水平，VHSI 在 15 的水平，若將 25300×1.15 ＝ 29095，也就十分接近大行的觀點。當然，若從負面的觀點看，也可以是在 25300 的水平下跌 15%。

　　既然稱之為恐慌指數，VIX 也有其大約的標準，VIX 與指數期貨通常是走反向，指數越跌，VIX 越高，或相反。當 VIX 漲超過 40，表示市場非常恐慌，出現反彈機會十分高；若低於 15，表示市場情緒高漲，隨時會有回吐。

香港的 VHSI 面世以來有記錄的最高點是 58.61，時間是 2011 年 8 月，當時恒指最低是 10676 點。而 VHSI 至今最低點是 11.27，時間是 2014 年 6 月 23 日，當時恒指是 23393。閣下可以參考 VHSI 的月線圖及相關數據，應該可以明白恐慌指數的反向定義。

從月線圖中我們還可以參考近期（2013 年 6 月 25 日）的高位：VHSI 是 30.18，當時恒指是在 19426 點。若以年度計算，一年後應該可以升至 25288（19426 × 1.3018）的水平，這個數值似乎已見。

另一個更具參考價值的是引伸波幅（IV/Implied Volatility），這是市場成交時即時反映的數據，也是預計未來波幅，這是在買賣價中產生，每個 Bid 價都有 IV，每個 Ask 也有 IV，筆者見過最高的 IV 是超過 100（指數），是 2008 年 10 月，最低的是今年 6 月，只有 11-12。

目前的市況是 IV 偏低，只有 14-15，VHSI 也只是在 15-16 的水平，表面看，十分正常，但異象是 HSI 與 VHSI 同步，見圖。

從 VHSI 和 HSI 的日線圖（圖）可見，這是從 6 月份最低點計的同步現象，也就是説大市上升，VHSI 上升；大市下跌，VHSI 下跌。這是一種較少發生的現象，按筆者的記錄是在 2007 年『港股直通車』未通前見過，當時沒有 VHSI，但 IV 大升，筆者稱之為由升幅推動的引伸波幅。這種同步現象在低 IV 時段表面上看是上落市，很平常。若一旦確認升市，IV 跟隨提升，這種現象就很可能導致某一時間段的長期升市。

筆者觀點是，目前港股在『滬港通』的影響下，是處在易升難跌的階段。所以每次的回調，若是做股票期權，都是選擇性開好倉的機會，若是做指數期權，就要研究月波幅，

《期權 Long & Short》之進階篇

此刻的 IV 偏低，波幅一般，月波幅 1000 點以下是小，1500 是正常，2000 點以上是大。
操作期權頗費心機，可是機會實在多，『三茶兩飯』不是問題，若發覺同步現象恢復反向，
則要留神。

（圖：恒指與 VHSI 的日綫圖—2014/06 至 2014/09）

2014/10/31

　　分析未平倉合約（OI），當然是有 Call 有 Put，這對筆者而言，雖然辛苦，但絕對是十分有趣的工作，筆者樂於此。傳統理論有 Call/Put Ratio，但今時今日是否還可以採用，見仁見智。筆者不建議採用，特別是遠期，宏觀地看 Call/Put 比例顯得太粗糙，因為具體行使價的 OI 變動可以非常大，比例說明不了問題。相反，我們應該分析具體行使價的 OI 變化，也就是微觀，特別是大成交的變化，頗具參考價值。這篇文章可以與 2010 年 12 月 17 日的文章〈期權未平倉合約的形成與市場預期〉一起細讀，閣下應該會受益。

期權的未平倉合約

　　中環人大多都是經濟動物（包括本人），習慣用經濟理論做分析，但涉及到佔中，講來講去都是一些通識，說明佔中會如何影響經濟，但今天的大學生不會聽，因為他們早就明白這些將來要入世的道理。其實，我們可以回顧中國近代史上較著名的學生運動，有哪個是從經濟觀點啟動？又會由於經濟觀點而結束？香港開始在具有中國特色的社會主義制度下生存，功利主義發揮得淋漓盡致，但用經濟觀點分析佔中可能是犯了時代的錯誤，今天學生追求的是明天較適合他們的生活方式，但不是考慮生活費，這也是為何人稱為高級動物之所在。這場運動可能步向尾聲，我們難以 Long Call 近期佔中，但可以 Short Put 遠期。佔中運動的 Call/Put 比例（也就是未平倉合約）會逐漸在社會上浮現，而這種現象的產生會有頗長的時間值，具體講就是社會將日益撕裂，這對香港社會的影響會比經濟大得多，深遠得多。若要在香港生活就要有思想準備，而且要習慣用愉快的心情面對撕裂。

《期權 Long & Short》之進階篇

談及未平倉合約，本週初《蘋果日報》財經記者來電話，問及期權未平倉合約對後市的啟示。她的問題是：目前整體期權未平倉合約有 3 萬多張，是否參與者在等待什麼？筆者回答：以全年計，3 萬多張未平倉合約不算多，不能以此說明什麼，或有什麼暗示。傳統理論有 Call/Put Ratio，但此刻的市場甚少採用，因為這只能做宏觀評論，難以說明具體問題。筆者基本上不會用以年計的未平倉合約數量來做分析，但會用以月計的未平倉合約數量，特別是對某行使價的合約變動非常留意，也可以說非常微觀，因為這對期權操作非常有用。

回答她的問題後，筆者回想本欄 2010 年 12 月 17 日就有文章題為〈期權未平倉合約的形成與市場預期〉，該篇文章是運用即月與下月的未平倉合約（突然增加 6 千多張），分析當時的大市。

今天，有一篇香港期權教室本月 30 日早上的網上文章可以引用，這是用 29 日大市的期權成交對本月結算日作分析。

「題目：超大成交

《期權 Long & Short》中有〈30/50 月尾 Long〉（當然是散戶行為）的文章，提及在月尾，當期權金的時間值所剩無幾之際，用 30-50 點的期權金進場（所以稱之為 30/50 月尾Long）。昨天（10 月 29 日）即月期權的成交可能是筆者有記錄以來最誇張的成交量，以單一行使價計，成交比 2007 年 9 月 18 日的單一 Put 還要多。昨天恒指 Call 位 24000 有 9545 張成交，期權金最低 19 點，最高 63 點，雖然 OI 正數，但只有 275 張，不成比例，說明都是即日鮮，不願持倉過夜，並非看好後市。國指 Call 位 10800 有 8489 張，期權金最低 16，最高 44，OI 正數有 1869 張，是對後市有信心的表現。國指收 10724，

離 10800 只有 76 點，是可達是位。恒指收 23819，離 24000 有 181 點，是難達之位。估計國指到位，恒指也會停，若閣下是經驗豐富的 Day Trader，可以看著國指炒恒指。但從另一個角度分析，若這些超大成交都成為未平倉合約，這個彩池不是開玩笑，若超級大戶可以控制結算的收市低於 24000 點，9545 張的平均價是 41 點（19+63/2），每點 50 港幣，金額近兩千萬。大戶可以收盡散戶投機者的期權金，不用 24 小時知分曉，這絕對是個 Big Deal。」

筆者認為，分析以月計的未平倉合約數量有實踐意義，可以大約了解某成交背後的動機。本月大市結算也的確是如此，Call 位的未平倉合約比例太低，續升乏力，低於 24000 收 23702 點。筆者稱未平倉合約是 Raw Data，是未經加工的數據，非常值得研究，但卻是頗為幸苦的工作。

如無意外，11 月 16 日下午，香港交易所在灣仔會展有 ETF & Option Expo，本人是應邀講者之一，回答有關期權的問題。若閣下有對期權有興趣，可以屆時磋商。

後記

指數期權雖然賺錢快，但筆者給各位的建議還是小倉為宜，這樣才符合以小博大的原則。因為錢少，你會覺得輸不起，一定會小心，也會做好對沖。但當你錢多，特別是賺回來的錢，人的心態就會驕傲，認為輸得起，厄運也就因此而來。

所以，在期權教室指數堂的工作坊開頭就講：不正確的心態是所有輸錢的來源。若閣下決定落場操作指數期權，學習良好的心態十分重要，筆者在此要向閣下推薦《期權心理》。

若閣下實在是喜歡指數期權，筆者還有一個建議是——利潤提取法，也就是開倉後一有利潤就將利潤提取，不作滾存，讓自己的心態保持在某種已習慣的節奏，具體講，就是讓自己處於已適應某種資金額度的操作方法。在此，祝各位不論輸贏，要樂在其中！

最後，作為結尾，筆者有個建議：若你已持有《期權 Long & Short》第五版，當然不必買第六版，但若閣下希望對此書有個完整的認知，第六版的序，值得一看！

杜嘯鴻

2015 年 6 月

若閣下對期權有興趣，請繼續閱讀進階篇：

《期權心理》

《股票期權》

以及

《期權十年》